Aider son enfant à gérer l'impulsivité et l'attention

Alain Caron, M.Ps. et ses collaborateurs

Chenelière Éducation

D0267410

Aider son enfant à gérer l'impulsivité et l'attention
Attentix à la maison
Alain Caron

© 2006 Les Éditions de la Chenelière inc.

Édition : Lise Tremblay
Coordination : Josée Beauchamp
Révision linguistique : Guy Bonin
Correction d'épreuves : André Duchemin
Couverture : Stéphane Morin (Numérique Technologies)
Maquette intérieure et infographie : Stéphane Morin
 (Numérique Technologies)
Illustrations et animations cédéroms : Stéphane Morin
 (Numérique Technologies)
Programmation (cédérom) : Bruno Thomassin et Stéphane Morin
 (Numérique Technologies)
Bande sonore : Gilles Grégoire (Fiction Plus)

Chenelière Éducation remercie le Gouvernement du Québec de l'aide financière qu'il lui a accordée pour l'édition de cet ouvrage par l'intermédiaire du Programme de crédit d'impôt pour l'édition de livres (SODEC)

Catalogage avant publication de Bibliothèque et Archives Canada

Caron, Alain,

 Aider son enfant à gérer l'impulsivité et l'attention

 Doit être acc. d'un disque optique d'ordinateur.
 Comprend des réf. bibliogr.

 ISBN 2-7650-0976-7

 1. Enfants inattentifs – Éducation.   2. Impulsions chez l'enfant.
3. Maîtrise de soi chez l'enfant.   4. Parents et enfants.
5. Hyperactivité.   I. Titre.

HQ773.C33 2005   649'.154   C2005-941944-X

CHENELIÈRE
ÉDUCATION

5800, rue Saint-Denis, bureau 900
Montréal (Québec) H2S 3L5 Canada
Téléphone : 514 273-1066
Télécopieur : 450 461-3834 ou 1 888 460-3834
info@cheneliere.ca

ISBN 2-7650-0976-7

Dépôt légal : 1er trimestre 2006
Bibliothèque nationale du Québec
Bibliothèque nationale du Canada

Imprimé au Canada

5 6 7 8 9 ITM 15 14 13 12 11

DANGER

LE
PHOTOCOPILLAGE
TUE LE LIVRE

TABLE DES MATIÈRES

INTRODUCTION

Le présent ouvrage est expressément conçu pour vous, parent d'un enfant âgé entre 4 et 12 ans dont les habiletés attentionnelles s'avèrent insuffisantes ou qui est aux prises avec un trouble déficitaire de l'attention avec ou sans hyperactivité (TDA/H).

Souvent démuni devant le manque d'attention ou de maîtrise de soi de votre enfant, vous ne disposez pas toujours des ressources nécessaires pour favoriser le développement de ses compétences. Vous souhaiteriez aider davantage votre enfant à apprivoiser ses lacunes et, plus tard, à les corriger. Bien que cet ouvrage ne soit pas une panacée, il offre bon nombre d'outils éprouvés en clinique qui vous aideront à atteindre cet objectif ou, du moins, à vous en approcher. Il propose, en effet, des actions simples et concrètes visant à stimuler l'attention de votre enfant et à canaliser ses impulsions.

Bien que certains enfants doivent se soumettre à une médication ou encore que l'intervention d'un psychologue, d'un orthopédagogue ou d'un autre professionnel se révèle nécessaire dans leur cas, ils tireront profit des stratégies que proposent les activités et les métaphores (courts récits) du présent ouvrage. Grâce à ce matériel, vous comprendrez mieux pourquoi votre enfant éprouve des difficultés à maîtriser son attention et ses impulsions, ce qui vous permettra sans doute d'envisager la situation sous un nouveau jour, optimiste celui-là.

HYPERACTIF OU INATTENTIF ?

Depuis plus d'une décennie, le TDA/H fait beaucoup jaser. Ce trouble se trouve au cœur d'une controverse : prescrit-on trop rapidement une médication à ces enfants difficiles qui « ont la bougeotte » ? De l'avis de monsieur Tout-le-monde, ces jeunes manquent de discipline ; ils ont un tempérament actif et ne sont pas assez occupés. D'autres croient qu'ils s'alimentent mal et qu'ils sont peut-être aux prises avec une maladie mentale. Dans l'opinion publique, les enfants qui sont atteints d'un TDA/H sont souvent victimes de préjugés et sont catalogués trop rapidement.

D'un point de vue scientifique, que sait-on vraiment de ce désordre du système neurologique ?

D'entrée de jeu, notons qu'il existe trois types de TDA/H : avec inattention prédominante, avec hyperactivité/impulsivité prédominante et mixte[1]. D'évidence,

---

1. AMERICAN PSYCHIATRIC ASSOCIATION (1994). *Diagnostic and statistical manual of mental disorders*, 4e édition, Washington.

chacun d'entre nous vit des moments d'inattention ou d'impulsivité sans pour autant être atteint de ce trouble. Quantité d'études scientifiques démontrent que, chez un certain nombre d'enfants et d'adultes, le niveau d'impulsivité ou d'inattention complique la vie en société[2,3]. L'impulsivité constitue, du moins en apparence, la caractéristique la plus récurrente du TDA/H.

Chez les enfants aux prises avec un TDA/H, certaines fonctions neurologiques ne s'avèrent pas aussi efficaces qu'elles le devraient. Pourquoi? Cette question fait toujours l'objet de recherches. Les réponses obtenues jusqu'ici convergent vers un même point : une déficience au niveau des gènes agirait sur les neuro-transmetteurs responsables de la maîtrise de soi par différents mécanismes cérébraux, en passant par des circuits neuronaux bien précis[4]. En d'autres termes, la chimie du cerveau est fonction du bagage génétique que lèguent les parents. Ainsi, la personnalité et le tempérament de l'enfant sont, en partie du moins, hérités de ses parents.

La chimie du cerveau de la majorité des enfants ne présente aucune déficience. C'est dire que leurs capacités d'autocontrôle et d'attention sont variables mais fonctionnelles, allant de très bonnes à moins efficaces, parfois jusqu'à la limite d'être non fonctionnelles. Pour les enfants aux prises avec certaines difficultés, la solution la plus viable consisterait à adopter des stratégies permettant d'accroî-tre ces compétences. C'est précisément ce que les outils d'Attentix proposent.

Cependant, pour 3 % à 6 %[5] des enfants, la capacité d'autocontrôle s'avère si limitée qu'on la qualifie de « brisée ». Une équipe pluridisciplinaire pose alors un diagnostic de TDA/H, ce qui rend parfois la prise de médicaments salutaire. La médication compense les conditions génétiques déficientes en favorisant le tra-vail des neurotransmetteurs et en permettant au système neurologique qui les gère de mieux fonctionner[6].

La nécessité de recourir à une médication dans ces cas précis où l'autocontrôle est « brisé » fait l'unanimité chez les spécialistes de la question[7]. Le matériel

2. CONNERS, C. Keith et Juliet L. JETT (2001). *Attention deficit hyperactivity disorder (in adults and children)*, Compact Clinicals, Kansas City, 116 pages.
3. Conférence donnée par Russel A. BARKLEY, *Behavioral strategies for the treatment of ADHD*, Association canadienne de pédiatrie, Montréal, le 17 juin 2004.
4. Conférence donnée par Stephen V. FARAONE, *The genetics of attention deficit hyperactivity disorder*, Massachusetts General Hospital department of psychiatry et Harvard Medical School department of continuing education, Boston, le 18 mars 2005.
5. AMERICAN PSYCHIATRIC ASSOCIATION (1994). *Diagnostic and statistical manual of mental disorders*, 4ᵉ édition, Washington.
6. *Pharmacy practice*, vol. 20, nº 5, mai 2004.
7. Conférence donnée par Howard ABIKOFF, *Multimodal treatment of children with ADHD: findings from the NIHM study*, Massachusetts General Hospital department of psychiatry et Harvard Medical School department of continuing education, Boston, le 20 mars 2005.

proposé dans le présent ouvrage ne saurait donc être suffisant pour aider ces enfants. Il constitue néanmoins un formidable outil quand il s'inscrit dans un plan d'intervention plus global.

On écarte parfois la solution de la médication, lorsque les symptômes du TDA/H se montrent plus légers, lui préférant plutôt une démarche structurée qui permettra d'exercer les habiletés attentionnelles et de maîtrise de soi. Les outils d'Attentix conviennent parfaitement à ce type d'intervention, pour autant que l'enfant soit bien encadré.

LE CONTENU DU PRÉSENT OUVRAGE

Avant d'entreprendre l'utilisation des outils d'Attentix, il importe de distinguer le TDA/H du simple manque d'autocontrôle et d'attention. Le chapitre 1 aborde ce sujet plus en détail. Bien que la compréhension de ces concepts parfois complexes ne constitue pas un préalable à l'utilisation des outils, elle n'en demeure pas moins souhaitable.

Le présent ouvrage propose de courtes histoires axées sur les compétences à développer chez l'enfant. Le héros principal, Attentix, y est en quête du trésor de l'Attention. Non seulement les métaphores, c'est ainsi qu'on les nomme, servent-elles d'introduction aux stratégies proposées, mais elles en facilitent aussi la mise en pratique. Elles sont accompagnées d'un ensemble cohérent d'activités et d'une variété d'outils. Ce matériel pratique est présenté au chapitre 2 et sur le cédérom qui accompagne le présent ouvrage.

LA PRÉSENTATION DU CÉDÉROM

Le cédérom contient plusieurs éléments pratiques qui facilitent l'utilisation quotidienne des outils d'Attentix et de ses amis. Son contenu se divise en trois sections : les bandes sonores des métaphores, les personnages et le matériel complémentaire.

Les bandes sonores des métaphores

Enregistrement de 19 métaphores, pouvant être écoutées à partir d'un ordinateur ou d'un lecteur MP3 :

1. Brise magique *(4 min 6 s)*
2. Le pouvoir de l'imagination *(7 min 8 s)*
3. Les leçons de vol de Torpille *(3 min 47 s)*
4. Les fourmis et la fourmilière *(2 min 54 s)*
5. La chenille et le papillon *(4 min 6 s)*
6. Les Spoinks *(1 min 29 s)*

Les personnages

Trente illustrations en couleurs ou en noir et blanc représentent les principaux personnages et les lieux importants de l'univers d'Imaginaria.

Le matériel complémentaire

Le matériel suggéré pour les outils 7, 11, 13, 14, 15b, 17, 18, 22, 23, 24, 25, 26, 38, 39 et 41.

RÉFÉRENCES BIBLIOGRAPHIQUES

ABIKOFF, Howard (conférence donnée le 20 mars 2005). *Multimodal treatment of children with ADHD: Findings from the NIHM* study, Boston, Massachusetts General Hospital department of psychiatry et Harvard Medical School department of continuing education.

AMERICAN PSYCHIATRIC ASSOCIATION (1994). *Diagnostic and statistical manual of mental disorders*, 4ᵉ édition.

ARMSTRONG, Thomas (2002). *Déficit d'attention et hyperactivité: Stratégies pour intervenir autrement en classe*, Montréal, Chenelière Éducation, 146 p.

BARKLEY, Russel A. (1998). *Attention-Deficit Hyperactivity Disorder: A Handbook for Diagnosis and Treatment*, 2ᵉ édition, New York, Guilford Press.

BARKLEY, Russel A. (conférence donnée le 17 juin 2004). *Behavioral strategies for the treatment of ADHD*, Montréal, Association canadienne de pédiatrie.

CONNERS, C. Keith et Julliet L. JETT (2001). *Attention deficit hyperactivity disorder (in adults and children)*, Kansas City, Compact Clinical, 116 p.

CONNERS, C. Keith (août 2004). *Workshop 1: Attention Deficit Hyperactivity Disorder (ADHD): Diagnosis, Treatment and New Research*, Mont-Tremblant.

DAIGNEAULT, Geneviève et Josée LEBLANC (2003). *Des idées plein la tête: Exercices axés sur le développement cognitif et moteur*, Montréal, Chenelière Éducation, 240 p.

DROUIN, Christiane et André HUPPÉ (2005). *Plan d'intervention pour les difficultés d'attention*, Montréal, Chenelière Éducation, 113 p.

FALARDEAU, Guy (1997). *Les enfants hyperactifs et lunatiques*, Montréal, Le jour, 215 p.

FARAONE, Stephen V. (conférence donnée le 18 mars 2005). *The genetics of attention deficit hyperactivity disorder*, Boston, Massachusetts General Hospital department of psychiatry et Harvard Medical School department of continuing education.

GAGNÉ, Pierre Paul (1999). *Pour apprendre à mieux penser : Trucs et astuces pour aider les élèves à gérer leur processus d'apprentissage*, Montréal, Chenelière Éducation, 256 p.

GAGNÉ, Pierre Paul, avec la coll. de Line AINSLEY (2003). *PREDECC, module 1 : Cerveau... mode d'emploi*, Montréal, Chenelière/McGraw-Hill. (Trousse)

GAGNÉ, Pierre Paul, avec la coll. de Danielle NOREAU et Line AINSLEY (2001). *Être attentif... une question de gestion ! : Un répertoire d'outils pour développer la gestion cognitive de l'attention, de la mémoire et de la planification*, Montréal, Chenelière Éducation, 173 p. (Incluant un cédérom)

GAGNÉ, Pierre Paul et Louis-Philippe LONGPRÉ (2005). *PREDECC, module 3 : Apprendre... avec Réflecto*, Montréal, Chenelière Éducation. (Trousse)

GAGNÉ, Pierre Paul et Danielle NOREAU (2005). *PREDECC, module 2 : Le langage du temps*, Montréal, Chenelière Éducation. (Incluant un cédérom)

GOUDREAU, Raynald (décembre 1997). *Concepts importants dans le développement de l'attention chez l'enfant*, Document de travail, C.S. de la Beauce-Etchemin.

GOUDREAU, Raynald (janvier 1999). *Trouble déficitaire de l'attention avec hyperactivité : Les moyens d'intervention en milieu scolaire*, Document synthèse, C.S. de la Beauce-Etchemin.

GOUDREAU, Raynald (2000) *Document de travail : notes personnelles de formation*, C.S. de la Beauce-Etchemin.

GOUDREAU, Raynald (juin 2000). *La couverture médiatique du TDA/H*, Document de travail, C.S. de la Beauce-Etchemin.

GOUDREAU, Raynald (mai 2004). *Notions théoriques de base sur l'attention*, Document de travail, C.S. de la Beauce-Etchemin.

GOUDREAU, Raynald et Pierre-Claude POULIN (janvier 1997). *Cadre de référence théorique sur le trouble déficitaire de l'attention/hyperactivité (TDA-H)*, Document de travail, C.S. de la Beauce-Etchemin.

GOUVERNEMENT DU QUÉBEC (2000). *Rapport du comité-conseil sur le trouble de déficit de l'attention/hyperactivité et sur l'usage des stimulants du système nerveux central*, ministère de l'Éducation.

JENSEN, Eric (2001). *Le cerveau et l'apprentissage : Mieux comprendre le fonctionnement du cerveau pour mieux enseigner*, Montréal, Chenelière Éducation, 137 p.

LEMERY, Jean-Guy (2004). *Les garçons à l'école : Une autre façon d'apprendre et de réussir*, Montréal, Chenelière Éducation, 103 p.

Pharmacy practice, vol. 20, n° 5, mai 2004.

SAUVÉ, Colette (2000). *Apprivoiser l'hyperactivité et le déficit de l'attention*, Montréal, Les éditions de l'Hôpital Sainte-Justine, 81 p.

SOUSA, David A. (2002). *Un cerveau pour apprendre : Comment rendre le processus enseignement-apprentissage efficace*, Montréal, Chenelière Éducation, 321 p.

VINCENT, Annick (2005). *Mon cerveau a besoin de lunettes : Vivre avec l'hyperactivité*, Québec, Académie Impact, 93 p.

VINCENT, Annick (2005). *Mon cerveau a encore besoin de lunettes : Le TDA/H chez l'adulte*, Québec, Académie Impact, 93 p.

1 Comprendre l'attention

Phénomène complexe, l'attention occupe une place importante dans la recherche en psychologie cognitive; des ouvrages entiers y sont consacrés. Le présent chapitre n'a pas la prétention de présenter l'ensemble des connaissances sur l'attention, mais plutôt de dégager une synthèse de ces concepts afin de mieux comprendre les outils proposés par Attentix et ses amis.

LE TROUBLE DÉFICITAIRE DE L'ATTENTION/HYPERACTIVITÉ (TDA/H)

La recherche est en mesure de définir l'attention de façon de plus en plus précise grâce aux études et à l'analyse des difficultés des enfants atteints du TDA/H. Le TDA/H est on ne peut plus réel: de 3% à 6% des enfants d'âge scolaire en Amérique du Nord et au Québec en seraient atteints.

Pour mieux comprendre la complexité des processus de l'attention, examinons d'abord les caractéristiques d'un enfant vivant avec un TDA/H.

Selon le *Manuel diagnostique et statistique des troubles mentaux* (DSM-IV, 4ᵉ édition), livre de référence en psychiatrie et en psychologie nord-américaines, le TDA/H est un trouble qui se manifeste sous une forme d'inattention et/ou d'hyperactivité-impulsivité plus fréquente et plus importante que ce que l'on trouve habituellement chez les enfants à un stade de développement équivalent[1]. On tiendra compte du nombre de symptômes et de leur persistance sur une période

---

1. GOUVERNEMENT DU QUÉBEC (2000). *Rapport du comité-conseil sur le trouble de déficit de l'attention/hyperactivité et sur l'usage des stimulants du système nerveux central*, ministère de l'Éducation, p. 5.

précise pour déterminer si un diagnostic s'impose. L'enfant doit éprouver des difficultés dans au moins deux contextes de vie différents : familial, social ou scolaire. De plus, un certain nombre de symptômes causant des difficultés d'adaptation doivent avoir été observés chez le sujet avant l'âge de sept ans[2].

Plusieurs symptômes de l'inattention chez l'enfant atteint sont observables. On notera, par exemple, que l'enfant :

> » a du mal à maintenir une attention soutenue ;
> » tend à commettre des fautes par distraction ;
> » donne l'impression de ne pas écouter quand on lui parle ;
> » ne veut pas se conformer aux consignes ;
> » a du mal à organiser ses travaux ;
> » est rebuté à l'idée d'accomplir des tâches nécessitant un effort de concentration ;
> » perd souvent ses outils de travail.

Les signes d'hyperactivité, quant à eux, ont davantage un caractère kinesthésique, c'est-à-dire qui passe par des mouvements du corps. Ainsi, l'enfant hyperactif :

> » se tortille sur sa chaise ;
> » remue les pieds et les mains ;
> » se lève souvent, court et grimpe à des moments inopportuns ;
> » éprouve beaucoup de difficulté à rester calme et parle souvent trop.

Il existe aussi des symptômes davantage liés à l'impulsivité verbale — le DSM-IV les définit comme étant à caractère impulsif. Par conséquent, il est fréquent que l'enfant impulsif :

> » réponde avant la fin d'une question qu'on lui pose ;
> » interrompe les autres ;
> » ait de la difficulté à attendre son tour quand il désire parler.

En général, l'enfant atteint du TDA/H vit certains problèmes de fonctionnement. Par exemple, perturbations scolaires, échecs répétés, style cognitif impulsif et mauvaise organisation s'observent facilement chez lui. L'enfant est régulièrement en conflit avec ses pairs et tolère difficilement la frustration. Parfois, il développe des troubles oppositionnels et des troubles du comportement. À la maison, il se trouve parfois au cœur d'une interaction conflictuelle. L'ensemble de tous ces facteurs l'amène à développer une faible estime de soi[3].

Pourquoi certains enfants ont-ils des déficits d'attention plus grands que les autres ?

---

2. *Ibid.*
3. *Ibid*, p. 7.

Bien qu'aucun marqueur biologique ne puisse le confirmer, les causes du TDA/H sont neurobiologiques et probablement génétiques. Supposons, par exemple, qu'un des deux parents présente les mêmes symptômes. Dans ce cas, la probabilité qu'un de ses enfants présente le même trouble se situe entre 60 % et 90 %, ce qui illustre bien la grande influence de l'hérédité. D'autres facteurs, dont une atteinte cérébrale prénatale ou des dommages cérébraux postnataux, s'avèrent aussi parfois responsables. Même si la tentation de leur imputer une forte incidence soit grande, les facteurs socioaffectifs ne peuvent être retenus comme seules causes du TDA/H. Toutefois, il est clair que les conditions sociales et affectives accentuent les symptômes et contribuent à leur persistance[4].

Ces facteurs externes sont associés à des éléments internes tels que le type d'attention, l'agitation motrice ou l'impulsivité chez l'enfant atteint du TDA/H. D'ailleurs, la recherche confirme que des troubles d'apprentissage, de langage, de comportement, de l'humeur, de l'estime de soi ou même à caractère pédopsychiatrique s'avèrent souvent associés au TDA/H[5].

Comme la recherche sur l'attention est encore jeune, elle offre toujours des pistes nouvelles de compréhension. Ainsi, selon Russell A. Barkley, chercheur américain reconnu dans le domaine, le trouble de l'attention ne serait pas nécessairement lié à l'attention en tant que telle, mais plutôt à un trouble du développement des capacités d'inhibition du comportement. Affectant les capacités d'autorégulation, ce déficit de l'inhibition aurait un impact direct sur les habiletés neuropsychologiques associées à l'attention et à l'impulsivité[6].

En bref, la complexité des causes du TDA/H et la compréhension du processus de l'attention nécessitent une analyse de plusieurs éléments pour tout parent désireux d'aider son enfant.

LA MÉDICATION

On constate, notamment dans les salles de classe, que la médication a fait ses preuves et qu'elle s'avère extrêmement efficace dans le traitement des troubles d'attention/hyperactivité. Lorsque les difficultés sont d'origine neurologique, les effets de la médication tiennent parfois du miracle. Les recherches le démontrent : les psychostimulants et les dextroamphétamines augmentent la capacité d'attention et diminuent l'impulsivité[7]. Les toutes dernières études

---

4. *Ibid.*
5. GOUDREAU, Raynald et Pierre-Claude POULIN (janvier 1997). *Cadre de référence théorique sur le trouble déficitaire de l'attention/hyperactivité (TDA-H)*, Document de travail, Commission scolaire de la Beauce-Etchemin, p. 23.
6. GOUVERNEMENT DU QUÉBEC, *op. cit.*, p. 5-6.
7. *Ibid.*, p. 10.

permettent d'affirmer que la prise d'une médication représente le traitement le plus efficace du TDA/H[8]. Actuellement, l'utilisation de la médication s'avère de plus en plus rigoureuse. Toutefois, les ordonnances sont peut-être parfois prescrites trop rapidement, sans une évaluation approfondie des symptômes, et mettent souvent fin à l'exploration des causes réelles du déficit et à la recherche d'autres moyens d'intervention.

Ces erreurs de parcours nuisent à la réputation du médicament éprouvé. Qui plus est, l'image négative qu'en donnent les médias tend à marginaliser les enfants profitant d'un tel soutien. Au dire de Raynald Goudreau, psychologue scolaire : « En identifiant des enfants souffrant du TDA/H "d'enfants-Ritalin", on accentue la souffrance de ces enfants déjà fragilisés[9] ». Dans ce contexte, bien des parents décident de cesser la médication, bien qu'elle s'avère efficace.

Le présent ouvrage n'apporte aucune réponse aux questions concernant la médication et ne peut s'y substituer. Il consiste essentiellement en un outil pratique visant à développer la capacité attentionnelle chez tous les enfants. Par conséquent, il s'avérera tout aussi efficace pour les enfants aux prises avec de simples difficultés d'attention que pour ceux qui sont traités par une médication.

UNE DÉFINITION GÉNÉRALE DE L'ATTENTION

Depuis plus de deux siècles, c'est-à-dire depuis le début de la psychologie moderne, nous cherchons à définir l'attention. L'attention est un processus dynamique soumis à une interaction constante entre les données sensorielles venant de l'environnement et leur traitement interne. Il ne s'agit pas d'une habileté passive que vous devez solliciter. L'attention s'apparente plutôt à une série d'aptitudes et de stratégies cognitives que l'enfant doit développer et utiliser à bon escient.

LA COMPÉTENCE MULTISENSORIELLE

La perception sensorielle, particulièrement la vision, l'audition et les perceptions kinesthésiques, constitue le préalable fondamental de l'attention. Aucun traitement de l'information n'est possible quand l'enfant ne perçoit rien, l'information passant par les sens. Au-delà de la perception, l'enfant continuera à traiter dans sa tête l'information qu'il a perçue même après la disparition du stimulus. Auteur de *Pour apprendre à mieux penser*, Pierre-Paul Gagné croit que

---

8. CONNERS, C. Keith (août 2004). *Workshop 1 : Attention Deficit Hyperactivity Disorder (ADHD) : Diagnosis, Treatment and New Research*, Mont-Tremblant.
9. GOUDREAU, Raynald (juin 2000). *La couverture médiatique du TDA/H*, Document de travail, Commission scolaire de la Beauce-Etchemin, p. 1.

la notion de « penser en trois dimensions » est capitale dans la compétence multisensorielle[10]. Le traitement de l'information s'effectue de façon visuelle, auditive ou kinesthésique, l'enfant privilégiant un mode ou un autre. De là, il construit des représentations mentales de ses perceptions et les rattache à ses expériences passées.

En général, pour dynamiser ses processus cognitifs, l'enfant construit ces représentations dans un autre mode sensoriel que celui à l'aide duquel il a perçu l'information. Chaque information est alors traitée par la pensée visuelle, la pensée auditive ou la pensée kinesthésique.

La capacité de l'enfant de transposer dans un nouveau mode sensoriel une information initialement perçue dans une autre modalité – c'est-à-dire de faire une transformation de cette information dans sa tête – constitue une habileté cognitive fondamentale. Par exemple, traduire en mots ce qui est vu ou ressenti, se faire une image d'un texte entendu ou encore ressentir une situation à partir d'un texte ou d'une image s'avère capital dans la cognition de l'enfant. La pensée en trois dimensions l'aide à comprendre ce qui se présente à lui et lui procure une plus grande souplesse sur le plan cognitif. Utilisé de la sorte, l'ensemble des modalités sensorielles mobilise tout le cerveau et dynamise le traitement cognitif de l'information.

LES ÉLÉMENTS PERTURBATEURS DE L'ATTENTION

Une multitude de facteurs extérieurs aux processus cognitifs ont un impact majeur sur les ressources attentionnelles. Chez certains enfants, des troubles neurologiques précis en sont à l'origine tels le TDA/H ou d'autres troubles – épilepsie, traumatisme crânien, etc. Chez certains autres, c'est le cerveau qui met du temps à se développer. Chez certains autres encore, ce sont d'autres éléments perturbateurs, dont voici les principaux :

>> Le contexte environnemental – période consacrée aux devoirs et aux
   leçons ;
>> La disponibilité affective – perturbations, conflits familiaux, difficultés
   d'intégration sociale, etc. ;
>> Un manque de discipline ;
>> La motivation ;
>> Le niveau de fatigue ;
>> Les troubles de comportement ;
>> Une estime de soi fragile.

---

10. GAGNÉ, Pierre-Paul (1999). *Pour apprendre à mieux penser*, Montréal, Chenelière/McGraw-Hill.

Chacun de ces facteurs pourrait être l'objet d'un livre. Il existe déjà d'ailleurs d'excellents ouvrages sur ces questions, ainsi que sur des méthodes et des approches efficaces en gestion de la discipline, des troubles du comportement et de l'estime de soi. Le présent manuel se concentre sur les processus de l'attention et les mesures à appliquer pour favoriser leur développement. C'est pourquoi vous ne profiterez au maximum des outils d'Attentix que si les éléments perturbateurs ont été éliminés ou, à tout le moins, travaillés en parallèle.

LES PROCESSUS COGNITIFS DE L'ATTENTION

Une étude plus approfondie des processus cognitifs de l'attention nécessite une terminologie qui, à défaut d'être universelle, permettra de bien comprendre les sujets abordés. Pour ce faire, nous ferons appel à la terminologie de Goudreau et de Poulin[11].

L'ÉVEIL

D'une façon générale, au moment du réveil, nous prenons conscience de notre environnement, nous passons alors à l'état d'éveil. C'est l'état dans lequel prend place toute notre activité quotidienne.

L'ATTENTION SÉLECTIVE

Pour l'enfant, l'attention sélective consiste à choisir consciemment une source de stimulation de l'environnement qu'il évalue plus importante que les autres. Conséquemment, cette forme d'attention implique une certaine inhibition des autres stimulations. Ainsi, l'enfant qui demande un renseignement à sa mère pour terminer ses devoirs parviendra à entendre la réponse de celle-ci, bien que ses deux petits frères fassent beaucoup de bruit dans la pièce voisine.

L'ATTENTION MAINTENUE

L'attention maintenue correspond, comme son nom l'indique, au maintien de l'attention dans le temps. Par exemple, lorsque l'enfant rédige un texte pendant plus de 15 minutes ou bien lorsqu'il est fasciné par la lecture d'une histoire sans qu'on puisse l'en distraire, il fait alors appel à son attention maintenue.

L'ATTENTION PARTAGÉE

L'attention partagée consiste à porter son attention simultanément vers deux sources d'information ou deux activités différentes. Ainsi, lorsque l'enfant fait ses devoirs en écoutant de la musique, il recourt à sa capacité d'attention partagée.

---

11. GOUDREAU, Raynald et Pierre-Claude POULIN, *op. cit.*, p. 4-6.

LA CONCENTRATION

Mélange de différentes ressources attentionnelles, la concentration consiste à utiliser l'attention sélective et l'attention maintenue, tout en résistant à toute forme de distraction.

L'INTENSITÉ ET LA SÉLECTIVITÉ DE L'ATTENTION

L'éveil, l'attention sélective, l'attention maintenue et l'attention partagée forment deux grands groupes : l'intensité de l'attention et la «sélectivité» de l'attention, c'est-à-dire l'aspect sélectif de l'attention. Selon certaines hypothèses, l'intensité de l'attention, constituée de l'éveil et de l'attention maintenue, serait déficiente chez l'enfant présentant un TDA/H de type inattentif. Quant à la «sélectivité», constituée de l'attention sélective et de l'attention partagée, son déficit chez l'enfant serait davantage lié au TDA/H de type hyperactif[12].

LA DISTRACTION CAUSÉE PAR DES STIMULI INTERNES ET EXTERNES

L'enfant est distrait par des sources internes ou externes. Les sources internes de distraction correspondent à des pensées, à des images internes ou encore au dialogue intérieur que l'enfant maintient. L'expression «être dans la lune» illustre bien ce type de distraction.

Les distracteurs externes correspondent à toute forme de stimulus externe (bruit, élément visuel, mouvement, odeur, contact physique, etc.) qui envahit l'environnement de l'enfant et auquel celui-ci répond, délaissant, ne serait-ce que quelques instants, ce qu'il est en train de faire.

LE DIALOGUE INTERNE

Dans le contexte des apprentissages, à l'école et à la maison, le dialogue interne consiste à maintenir un langage de réflexion intérieur sur une tâche à accomplir.

L'anticipation même de cette tâche (projeter de faire) précède, soutient et nourrit le dialogue interne, permettant ainsi à l'enfant, à l'aide d'un dialogue interne, de comparer l'information, de réfléchir sur la tâche principale, d'analyser les distracteurs, etc. Ce langage interne permet de nommer les situations à régler. «L'état actuel de la recherche sur les déficits de l'attention apporte des conclusions de plus en plus évidentes, renforçant l'hypothèse qui

---

12. GOUDREAU, Raynald (mai 2004). *Notions théoriques de base sur l'attention,* Document de travail, Commission scolaire de la Beauce-Etchemin, p. 4.

veut que les enfants aux prises avec un déficit attentionnel ne possèdent pas dans leur répertoire cognitif les compétences nécessaires pour soutenir leur démarche d'exécution à l'aide d'un dialogue interne suffisamment bien structuré[13].

Ainsi, ces enfants ignorent comment se poser des questions ou formuler des idées. Ils se tiennent souvent un discours interne dévalorisant («Je ne suis pas capable!»). À l'inverse, les enfants qui disposent d'un grand nombre de compétences cognitives profitent d'un dialogue interne plus structurant qui les aide à organiser leur travail[14].

LA MÉTACOGNITION

Habileté capitale dans l'allocation des ressources cognitives et attentionnelles, la métacognition correspond à la capacité que l'individu a de prendre conscience des gestes cognitifs qu'il fait dans sa tête et de réfléchir sur ses propres processus internes. Ainsi, l'enfant qui s'interroge sur une tâche à accomplir et la stratégie à adopter procède à une métacognition, tout comme l'enfant qui cherche à se créer des images d'un texte ou qui réfléchit sur ses façons de faire. La qualité du dialogue intérieur constitue un élément clé de la métacognition. L'enfant capable de parler des opérations qu'il effectue dans sa tête face à une tâche a un pouvoir actif sur son apprentissage. Bref, la prise de conscience cognitive à l'aide du dialogue interne favorise l'apprentissage[15].

COMMENT DÉVELOPPER LA CAPACITÉ D'ATTENTION?

Le TDA/H est un trouble à caractère neurobiologique. Le développement de la capacité d'attention chez l'enfant aux prises avec un TDA/H devient une façon de compenser sa difficulté d'inhiber les réponses impulsives que son cerveau lui apporte.

Toutefois, stimuler la capacité d'attention chez l'enfant constitue un bon moyen de développer les compétences requises et de favoriser ses capacités cognitives et ses apprentissages.

---

13. GAGNÉ, Pierre-Paul. op. cit., p. 131.
14. Ibid., p. 22.
15. Ibid., p. 20.

DÉVELOPPER L'AUTOCONTRÔLE

LE CONTRÔLE EXTERNE

L'absence d'autocontrôle constitue un élément du TDA/H. C'est pourquoi il faut fournir à l'enfant qui en est atteint un contrôle externe (par l'environnement) pour pallier son déficit. Parents et intervenants peuvent compenser cette carence.

Plusieurs moyens d'action efficaces permettent d'encadrer les enfants aux prises avec un TDA/H, dont l'organisation, la valorisation et la relation parentale.

L'organisation consiste à créer un aménagement adapté, un climat favorisant la discipline, de même qu'une gestion du temps et de la production efficace. Pour ce faire, le développement d'habitudes de travail et de comportements, de même que l'encadrement des transitions, c'est-à-dire passer d'une tâche à une autre, s'avère essentiel[16].

La valorisation de l'estime de soi et le développement d'habiletés sociales aident l'enfant à avoir une meilleure perception de lui-même. La qualité de la relation parentale constitue un facteur déterminant dans la diminution des symptômes et la motivation de l'enfant à développer de nouvelles compétences.

En général, l'enfant atteint du TDA/H présente un retard marqué du côté du développement de l'autocontrôle. Il est donc logique de croire qu'un tel encadrement s'imposera, souvent tout au long de son enfance. Dans le cas de l'enfant affichant un retard du côté de la maturation neurologique, le développement de l'autocontrôle peut progresser plus rapidement à l'aide de techniques de développement des ressources attentionnelles, en comparaison du jeune aux prises avec un TDA/H.

LE CONTRÔLE INTERNE

Lorsque l'autocontrôle est déficient chez l'enfant qui accuse un retard de maturation et qu'un encadrement extérieur pallie ce déficit, il ne faut pas pour autant renoncer à favoriser le développement de cette habileté chez lui.

L'autocontrôle consiste à inhiber un comportement procurant une gratification immédiate pour en adopter un autre dont la finalité est à plus long terme. L'enfant devra développer trois habiletés précises pour augmenter cette capacité.

---

16. GOUDREAU, Raynald (2000). *Document de travail: notes personnelles de formation,* Commission scolaire de la Beauce-Etchemin.

La première habileté consiste à inhiber les comportements réflexes, c'est-à-dire l'aptitude à freiner un comportement que l'enfant a affiché ou qu'il affichera. Il semble que le meilleur moyen d'accroître cette aptitude consiste à associer un comportement non désiré avec une conséquence désagréable, d'une part, et à associer un comportement désiré avec un renforcement positif, d'autre part. Cela confirme l'importance du contrôle externe pour cet enfant.

La deuxième habileté à développer est la capacité d'utiliser un délai de réponse, c'est-à-dire l'aptitude à prendre un temps de réflexion avant d'agir.

Quant à la troisième habileté, la tolérance d'un délai de gratification, elle implique le renoncement au plaisir d'une gratification immédiate au profit d'un renforcement perçu comme plus significatif et valorisant à moyen ou long terme[17]. Ces éléments requis pour l'autocontrôle se développeront en parallèle, à mesure que l'aptitude à la métacognition augmentera.

Pour l'enfant atteint du TDA/H, le développement de l'autocontrôle dépend de l'ampleur du trouble neurologique. Ainsi, par la stimulation de compétences, l'autocontrôle se développera de façon marquée chez certains et plus difficilement chez d'autres.

DES AUTOMATISMES À LA MÉTACOGNITION

Tant que les habiletés associées à la métacognition ne se structurent pas chez l'enfant, celui-ci pourra difficilement manifester un autocontrôle et une aptitude à organiser ses ressources attentionnelles d'une façon autonome. L'entourage de l'enfant se substituera donc à ce contrôle interne encore immature. Pour l'encadrer, parents et intervenants créeront alors des automatismes et des habitudes.

Ainsi soutenue par des automatismes, la maturation des processus de l'attention évoluera progressivement vers la métacognition.

Constitués de trucs et d'apprentissages, et utilisés de façon mécanique de manière à apporter un contrôle externe, les automatismes aideront le dialogue interne à se développer progressivement. Soutenue par ces habitudes et combinée au dialogue interne naissant, l'aptitude à fractionner les tâches en séquences apparaîtra chez l'enfant. Ce sera le début de la capacité à mettre en séquences et, en conséquence, l'apparition d'un niveau de métacognition plus élevé.

---

17. GOUDREAU, Raynald (2000). *Notions théoriques de base sur l'attention, op. cit.*, annexe 4.

DÉVELOPPER DES ROUTINES

Pour développer la métacognition de l'enfant en manque d'attention, la création de séquences métacognitives deviendra un des outils nécessaires à l'acquisition d'automatismes.

Les interventions métacognitives chez l'enfant de moins de huit ans, et même plus tard chez celui qui souffre d'un retard de maturation, s'avèrent peu efficaces, ces enfants étant encore trop jeunes. Il en va de même pour le TDA/H. L'acquisition d'habitudes de travail prend alors, pour ces enfants, une importance capitale. Il leur faut donc investir davantage dans les habitudes afin de stimuler leurs capacités d'attention[18]. Une fois ces habitudes acquises et les processus cognitifs devenus automatiques, la conséquence bénéfique pour ces enfants sera l'acquisition d'une plus grande résistance face aux distractions[19]. Plus la tâche est facile pour les enfants, plus il leur reste d'énergie pour filtrer et évaluer les éléments de distraction[20]. Le rôle de l'automatisation des habitudes devient clair dans la mesure où les automatismes libèrent les ressources attentionnelles. Lorsqu'une méthode de travail est automatisée, toute l'énergie devenue disponible chez l'enfant est dirigée sur l'objet vers lequel il doit porter son attention. L'automatisme ne requérant que peu d'énergie, la capacité attentionnelle s'en trouvera augmentée et disponible pour d'autres aspects de la tâche.

La conduite automobile illustre bien le rôle de l'automatisation dans la libération des ressources. Par exemple, lorsque les habitudes de la conduite comme l'embrayage et la vision périphérique sont intégrées de façon automatique, une quantité impressionnante d'énergie devient disponible pour traiter d'autres types d'informations. Ainsi, planifier sa journée ou soutenir une conversation complexe devient possible, voire facile, quand les automatismes sont acquis. Pourtant, il aurait été inconcevable de faire toutes ces activités lors d'un premier cours de conduite!

Tout ce processus, du dialogue interne aux séquences et à la métacognition, en passant par les automatismes, permet de mieux comprendre le développement de la capacité attentionnelle. En outre, il permet de structurer des moyens d'intervention afin d'aider l'enfant plus vulnérable à faire face au manque d'attention qui découle d'un retard sur le plan de la maturation neurologique. Cette forme de développement commence par des automatismes inconscients (habitudes), suivis du dialogue intérieur.

---

18. GOUDREAU, Raynald (janvier 1999). *Trouble déficitaire de l'attention avec hyperactivité: Les moyens d'intervention en milieu scolaire,* Document synthèse, Commission scolaire de la Beauce-Etchemin, p. 8.
19. GOUDREAU, Raynald (décembre 1997). *Concepts importants dans le développement de l'attention chez l'enfant,* Document de travail, Commission scolaire de la Beauce-Etchemin, p. 3.
20. *Ibid.*

Parallèlement à la construction d'un langage intérieur de plus en plus élaboré, l'aptitude à la prise de conscience se développe. La compétence à utiliser le langage interne comme moyen de faire le lien entre les différentes informations s'avère cruciale pour les enfants[21]. Une fois la prise de conscience faite, le langage interne permet plus facilement la métacognition. Finalement, l'émergence du dialogue intérieur et de la métacognition crée le contexte idéal pour développer la capacité d'autocontrôle.

Le processus attentionnel évolue plus lentement chez l'enfant atteint du TDA/H. C'est pourquoi il vous incombera, ainsi qu'aux enseignants et aux intervenants, de stimuler ce processus pour favoriser son développement.

---

21. GAGNÉ, Pierre-Paul, *op. cit.*, p. 124.

2 La mise en pratique des outils d'Attentix

Le présent ouvrage est basé sur de courtes histoires que l'on nomme métaphores. Offerte sous forme de texte dans les pages qui suivent ou encore en version audio sur le cédérom qui accompagne l'ouvrage, chaque métaphore aborde un aspect particulier lié à l'attention ou à l'autocontrôle et présente les compétences qui seront travaillées au cours des activités qui suivront.

La démarche proposée dans cet ouvrage consiste non pas à laisser votre enfant seul avec le matériel, mais à l'accompagner tout au long de son cheminement en l'aidant à mettre en pratique les outils suggérés. Il est donc important de vous familiariser avec le contenu des métaphores et des outils avant de les présenter à votre enfant.

Lors de la consultation des documents, déterminez d'abord les objectifs les plus susceptibles de répondre aux besoins spécifiques de votre enfant. Repérez ensuite les activités que vous souhaitez aborder en sa compagnie et songez aux situations qui se prêteront à leur réalisation. En saisissant bien l'essence même du travail à effectuer, vous serez en mesure d'adapter le matériel selon vos besoins, voire de concevoir vos propres activités afin de guider adéquatement votre enfant. La section « Pour aller plus loin », à la page 18, propose quelques pistes de travail en ce sens. Faites-vous confiance et n'hésitez pas à faire travailler votre imagination !

Avant d'aller plus loin, présentez Attentix à votre enfant à l'aide des images offertes sur le cédérom. L'encadré « Le monde d'Attentix » (voir les p. 15 à 18) dresse la liste des personnages et des éléments importants des métaphores ; consultez-le au besoin.

DES REPÈRES UTILES

Les pictogrammes suivants vous aident à cibler rapidement le contexte optimal d'utilisation de chaque outil:

 Occasions qui se prêtent bien à la réalisation de l'activité: «Voici une activité à effectuer au moment du coucher» constitue un exemple probant de ce type de recommandation.

 Contextes qui ne se prêtent pas à la réalisation de l'activité: «À éviter en présence d'autres personnes» constitue un bon exemple de cette forme de recommandation.

 Groupe d'âge auquel s'adresse l'activité: une activité conçue pour les sept ans et plus, par exemple, ne serait pas indiquée pour les enfants plus jeunes.

Enfin, sous le titre de chaque outil, vous trouverez l'objectif visé par ce dernier.

Ensuite, assurez-vous que votre enfant est bien disposé pour l'écoute ou la lecture de la première métaphore de votre choix. Nous vous proposons d'utiliser la mise en situation suivante avant d'aborder une métaphore avec votre enfant.

Pour être attentif et pour laisser libre cours à ton imagination, il est important que tu sois bien dans ton corps. Tu dois d'abord t'asseoir confortablement sur ta chaise. Détends-toi et oublie tout ce qui te déconcentre, afin de pouvoir bien imaginer. Respire calmement. Ferme les yeux et relaxe-toi. Fais le silence dans ta tête et prends quelques instants pour bien sentir ton corps. Maintenant, entre dans ton monde imaginaire. Retrouve le monde d'Imaginaria et tous les amis qui y habitent. Efforce-toi de bien les voir, puis tends l'oreille pour les entendre.

Après avoir pris connaissance ensemble d'une métaphore, questionnez votre enfant sur les éléments principaux du récit afin de vous assurer qu'il les comprend bien. Le premier objectif des outils d'Attentix est de vous permettre de discuter avec votre enfant de son attention et de son impulsivité afin d'améliorer sa concentration et son autocontrôle. Les personnages des métaphores constituent le catalyseur de vos discussions.

Vous êtes maintenant prêt à lui proposer une activité pour mettre un outil en pratique :

Tu te souviens de... (titre de la métaphore associée à l'activité) ? J'aimerais te proposer un jeu, comme le font les personnages du récit. Nous ferons ce jeu ensemble.

Assurez-vous que votre enfant établit bien le lien entre l'activité proposée et la métaphore. Faites-lui part des situations dans lesquelles vous souhaiteriez qu'il effectue ces activités. Dites-lui, par exemple :

Tu comprends ce qu'a réussi à faire Attentix ? Tu peux, toi aussi, faire comme lui en travaillant sur ton autocontrôle au cours de certaines activités. Tu aurais beaucoup de plaisir, par exemple, si tu effectuais l'activité suivante chez grandmaman.

L'utilisation des outils d'Attentix constitue une remarquable occasion d'expliquer à votre enfant l'importance d'être attentif et de le sensibiliser à ses difficultés sur ce plan, qu'elles soient légères ou plus sévères. Votre jeune s'identifiera à coup sûr au personnage d'Attentix. Les palpitantes aventures de son nouvel ami l'aideront à saisir à quel point l'attention s'avère nécessaire à son développement.

LE MONDE D'ATTENTIX

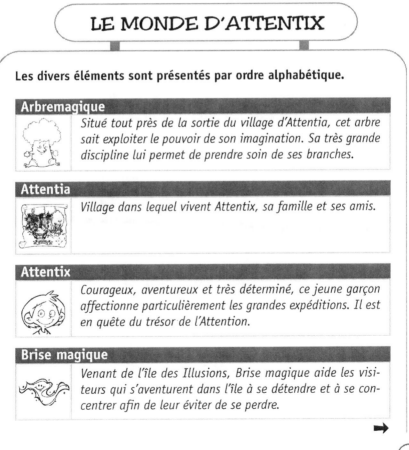

Les divers éléments sont présentés par ordre alphabétique.

Arbremagique

Situé tout près de la sortie du village d'Attentia, cet arbre sait exploiter le pouvoir de son imagination. Sa très grande discipline lui permet de prendre soin de ses branches.

Attentia

Village dans lequel vivent Attentix, sa famille et ses amis.

Attentix

Courageux, aventureux et très déterminé, ce jeune garçon affectionne particulièrement les grandes expéditions. Il est en quête du trésor de l'Attention.

Brise magique

Venant de l'île des Illusions, Brise magique aide les visiteurs qui s'aventurent dans l'île à se détendre et à se concentrer afin de leur éviter de se perdre.

➡

Colombe messagère

 Gracieuse et noble, cette superbe colombe blanche détient le secret pour devenir attentif. Elle est la maman de Zouzou.

Festival d'Attentia

 Grande fête qui se déroule au village chaque année. Les compétitions amicales et amusantes que Graushou prépare pour ce festival mettent plusieurs habiletés attentionnelles en pratique.

Fourmis

 Fidèles amies de Petit Bourdon, les fourmis sont solidaires, travailleuses et très organisées.

Graushou

 Vieux sage du village de qui tous prennent conseil; Attentix est son apprenti.

Île des Illusions

 C'est une île du monde d'Imaginaria. Elle est remplie d'illusions déconcertantes. Un visiteur inattentif peut facilement s'y perdre.

Imaginaria

 Monde imaginaire dans lequel se déroulent les aventures d'Attentix et de ses amis.

Livre d'or

 Le Livre d'or appartient aux sages du village depuis des générations. Grauschou l'a prêté à Attentix. Ce bouquin magique accumule de nombreuses connaissances et les transmet à celui qui le détient.

Narratrice

 Personne qui raconte l'histoire ou qui en précise certains détails.

Papillon

 Doux et calme, Papillon a travaillé très fort pour développer ses superbes ailes, alors qu'il était dans son cocon.

Pays de l'Attention

Légende du monde d'Imaginaria qui parle d'un lieu dans lequel le secret de l'Attention se trouverait.

Petit Bourdon

Actif et déterminé, il a appris à voler grâce à sa très grande volonté ; « Quand on veut, on peut ! » est sa phrase préférée.

Pique-Assiette

Cherchant toujours de la nourriture, cette souris rusée est à l'origine d'une stratégie de résolution de problèmes contenue dans le Livre d'or de Graushou.

Spoinks

Affectueux et mignons petits êtres poilus. Quand ils s'activent, ils savent rapidement retrouver leur calme, même si ce n'est pas toujours facile. Ce sont des spécialistes du compliment et du renforcement.

Tempo

Tempo est le maître du temps au village d'Attentia. Il observe le temps qui passe et il utilise des sabliers pour le mesurer.

Torpédor

Aigle à l'allure fière et au vol majestueux, il est le gardien de l'île des Illusions. Torpédor possède une grande capacité de concentration et un bon jugement. C'est l'oncle de Torpille.

Torpille

Neveu de Torpédor, cet aiglon en est à ses premiers vols. Il manque parfois de discipline et d'attention pour bien voler.

Tortal

Cette tortue géante est très détendue et elle est reconnue pour son bon jugement. Elle habite la grotte du secret du Temps sur l'île des Illusions.

Trésor de l'Attention

Rendant riche celui qui le trouve, c'est le trésor qui se cache au pays de l'Attention.

Vavevivoitout

Habitants du village voisin d'Attentia, ces mignons petits joueurs de tours communiquent souvent par des gestes codés.

Zouzou, l'oisillon

Petit oiseau rempli d'énergie et de bonne volonté pour progresser. C'est le fils de Colombe messagère.

POUR ALLER PLUS LOIN

Si une activité proposée dans le présent ouvrage convient particulièrement bien à votre contexte familial, rien ne vous empêche de pousser encore plus loin la démarche en adaptant l'outil de manière à faire progresser davantage votre enfant. Voici quelques exemples qui peuvent vous inspirer. Ils sont liés à l'outil 26 (voir page 68).

> » Vous pouvez imprimer les illustrations offertes sur le cédérom et les afficher dans un endroit stratégique de votre maison, la cuisine par exemple, afin de favoriser vos échanges sur cette stratégie. Plus vous en parlerez avec votre enfant, plus il tentera d'appliquer cet outil.

> » Vous pouvez également préparer un « porte-idées » inspiré d'un porte-clés : les illustrations sont imprimées en petit format puis plastifiées avant d'être reliées par un anneau. Ce format a l'avantage d'être portatif, donc facile d'accès en tout temps pour votre enfant.

> » Vous pouvez aussi faire appel aux illustrations de cet outil à l'heure du coucher, pour revenir sur les événements de la journée et valoriser les bonnes décisions que votre enfant a prises ou pour l'aider à trouver de meilleures solutions la prochaine fois. Surtout si votre enfant en est à ses premières tentatives d'utilisation de cette stratégie, il a bien besoin de soutien et de modèles.

SECTION 1 : L'IMAGINATION

MÉTAPHORE *Brise magique*

(Détente et relaxation)

 As-tu déjà entendu parler de l'île des Illusions ? Dans cette drôle d'île, tout est brillant et très bruyant. On peut s'y amuser beaucoup, mais il devient très vite difficile de s'y concentrer.

En route pour découvrir le pays de l'Attention, j'ai fait un arrêt dans cette île. À peine cinq minutes après mon arrivée, j'étais tout excité par autant de beauté ! Mille couleurs éclatantes dansaient sous mes yeux. Des centaines de sons se bousculaient et entraient dans mes oreilles. Je voulais sauter dans les airs tellement je me sentais bien ! Mais, en même temps, j'avais du mal à rassembler mes idées et à me concentrer pour trouver ma route. Je n'arrivais plus à arrêter mon esprit. J'étais perdu...

C'est à ce moment qu'un vent léger est venu caresser ma joue. D'un seul coup, mes pieds ont cessé de bouger. J'ai fermé les yeux pour profiter de ce doux moment. Dans mon oreille, je n'entendais plus qu'un apaisant chuchotement : « Chuuuuut... » C'était Brise magique ! J'étais vraiment heureux de la rencontrer ! Ce gentil petit coup de vent survole l'île des Illusions. Brise magique vient en aide aux aventureux qui, comme moi, ont de la difficulté à se concentrer et à se détendre dans un endroit si amusant ou au cours d'une situation excitante.

Brise magique est une amie. Elle m'a aidé à me concentrer sur moi-même, à me calmer et à retrouver mon chemin. Grâce à elle, ma pensée est devenue très claire, et j'ai pu suivre les indications.

Lorsque je me suis assez concentré, Brise magique est repartie voler au-dessus de l'île pour venir en aide à d'autres personnes. Elle m'avait sauvé, car elle m'a montré à prendre le temps de respirer et de m'arrêter. Maintenant, chaque fois que j'ai de la difficulté à rassembler mes idées, je pense très fort à Brise magique. Je me concentre au maximum sur cette expérience pour la revivre à l'intérieur de moi. Je peux ainsi me débrouiller avec mes propres moyens.

Brise magique est aussi ton amie. Si tu penses très fort à elle, elle viendra souffler sur tout ce qui te déconcentre pour t'aider à te calmer. Détends-toi... Écoute attentivement ta respiration. L'air qui entre dans ton corps par ton nez et qui te chatouille les narines représente ta petite Brise magique à toi. Ne l'oublie jamais…

Comme Attentix, tu peux demander l'aide de Brise magique. Il existe trois façons simples d'attirer son attention afin qu'elle t'aide à te calmer.

Tu peux bouger rapidement tous les membres de ton corps, comme si tu étais un chiffon qu'on secoue. Bouge au maximum pendant quelques instants. Couche-toi ensuite sur le sol et respire profondément. Brise magique comprendra que tu l'appelles. Elle t'incitera à bien respirer et à rassembler tes idées.

Tu peux aussi faire de grands gestes avec les bras, comme si tu imitais un moulin à vent. Agite-les très vite, puis, doucement, ralentis ta cadence. Brise magique adore le mouvement des moulins à vent! Elle trouve cela relaxant. Relâche ensuite tes bras et respire profondément.

Enfin, Brise magique est très sensible aux tensions musculaires. Pour l'attirer, il te suffit de fermer les yeux, puis de contracter tous tes muscles très très fort. Après quelques secondes, relâche toute cette tension d'un seul coup, puis recommence. À chaque inspiration, Brise magique sera de plus en plus présente auprès de toi.

Rappelle-toi que Brise magique est là pour toi. Il te suffit de l'appeler!

Outil 1 : La danse du chiffon

Objectif

Apprendre à l'enfant à contrôler sa respiration pour se détendre.

Utilisation de la métaphore

Expliquez à votre enfant qu'il peut attirer Brise magique au moyen de la danse du chiffon qui favorise la détente. Attirée par son contraire, Brise magique voit dans ce rituel un signal qui l'appelle. Ainsi, vous favoriserez la détente de votre enfant en lui permettant d'abord d'évacuer l'excitation qui le rend fébrile.

Description de l'outil

Pour se défouler, votre enfant doit bouger (boxer, sauter, courir) avec ou sans musique, entre une et cinq minutes. Par la suite, invitez-le à s'étendre sur le plancher, à fermer les yeux, à se reposer et à prendre conscience de sa respiration. Sa respiration peut être saccadée après une activité si intense. Demandez-lui de maîtriser sa respiration et de se détendre complètement.

Matériel facultatif

Une musique rythmée

Contexte d'utilisation

 Idéal lorsque votre enfant est stressé ou agité.

 Idéal 10 à 20 minutes avant la période des devoirs et des leçons.

 À éviter avant le coucher. La danse du chiffon est utile pour retrouver le calme afin de mieux solliciter les habiletés attentionnelles par la suite. Cette danse ne favorise pas l'endormissement ; elle éveille les sens mais dans le calme.

 À éviter au lever, car votre enfant s'exposerait à une activation trop grande, vu qu'il est frais et dispos et rempli d'énergie. L'effet escompté risquerait de ne pas être atteint.

 Pour les enfants de tous âges.

Outil 2 : L'appel du vent

Objectif

Apprendre à l'enfant à contrôler sa respiration pour qu'il puisse se détendre.

Utilisation de la métaphore

Expliquez à votre enfant qu'un bon moyen d'appeler Brise magique est d'imiter un moulin à vent. Dites-lui que Brise magique perçoit ces signes et qu'elle y répond quand il fait l'activité comme il se doit.

Description de l'outil

Invitez votre enfant à se mettre debout, les bras le long du corps et les pieds écartés de la largeur des épaules. Demandez-lui d'inspirer en levant les bras à la hauteur des épaules et d'expirer en tournant les bras pour faire de petits ronds. Invitez-le à ralentir le mouvement, à descendre les bras le long du corps à mesure qu'il expire et à s'arrêter dans la position initiale. Répétez l'activité à trois reprises.

Matériel

Aucun

①　　　**②**　　　**③**

Contexte d'utilisation

☺ Idéal au lever et comme activité de détente avant une sortie, l'arrivée de visiteurs et le coucher.

☹ Aucune restriction.

🚶 Pour les enfants de tous âges.

Outil 3 : Les tensions et la détente

Objectif

Amener l'enfant à relâcher ses tensions internes.

Utilisation de la métaphore

Comme vous l'avez fait avec les outils numéros 1 et 2, expliquez à votre enfant que Brise magique vient en aide aux personnes qui ont du mal à se détendre et à se concentrer. Ainsi, quand votre enfant est tendu, Brise magique s'en rend compte. L'activité consiste ici à créer une tension physique très forte avant la détente. Répétez l'activité à quelques reprises, pour augmenter l'effet d'autant.

Description de l'outil

Invitez votre enfant à fermer les yeux, à serrer les poings et à contracter les muscles des bras, des épaules, du ventre, du fessier et des mollets tout en comptant jusqu'à 10 – le décompte peut être effectué par vous ou par votre enfant. Demandez-lui ensuite de relâcher d'un seul coup toutes les tensions de son corps, d'ouvrir les yeux, de bouger quelque peu la tête, de remuer les pieds et les mains, puis de s'étirer.

Matériel

Aucun

Contexte d'utilisation

 Idéal lorsque votre enfant est dans l'impossibilité de se lever ou de bouger comme il le souhaiterait, par exemple, pendant les repas à la maison ou au restaurant, au cinéma, à l'école ou dans sa chambre quand il est étendu sur son lit.

 Activité simple pouvant se faire en tout temps.

 Aucune restriction.

 Pour les enfants de tous âges.

MÉTAPHORE *Le pouvoir de l'imagination*

(Compétences multisensorielles et concentration)

 Pour être attentif et pour entrer plus facilement dans ton imagination, il est important que tu sois bien dans ton corps. Tu dois d'abord t'asseoir confortablement sur ta chaise. Commence par te détendre et oublie tout ce qui te déconcentre, afin de pouvoir bien imaginer.

Pour t'aider, tu peux respirer calmement. Détends-toi et ferme les yeux.

Fais le silence dans ta tête et prends quelques instants pour bien sentir ton corps.

Maintenant entre dans ton monde imaginaire et cherche un endroit agréable dans la nature.

Prends le temps de voir, d'entendre et de sentir ce qui se passe dans ton imagination. Où que tu sois dans ton imagination, l'important, c'est de trouver un endroit agréable. Prends le temps d'observer ce qu'il y a autour : regarde, écoute et ressens.

Soudain, tu remarques un arbre. C'est un arbre magique qui vient d'apparaître. L'arbre semble fort et plein de sagesse. Regarde la forme de l'arbre. Regarde la couleur de ses feuilles. Regarde comment ses branches sont faites. L'arbre est un ami : écoute-le te parler…

Regarde mes branches qui pointent vers le ciel. Ce sont comme des bras que je lève. Regarde le vent qui agite mon feuillage et qui y fait des vagues. Tu peux même entendre le bruit que cela fait. Je sens le vent dans mes feuilles comme toi tu peux parfois sentir le vent dans tes cheveux. Tu peux même toucher mon écorce. Mon écorce, c'est comme une peau. Comme toi, j'ai besoin de nourriture et d'eau. Je les prends par mes racines. Et je tire mes forces du soleil à travers mes feuilles. Je suis content d'être un si bel arbre, calme et fort.

J'ai un secret pour toi. Tu sais, chaque arbre est unique, comme toi. Il n'y a pas deux arbres pareils. Chacun a son rôle et sa place dans la forêt.

Ah ! Voilà mon ami Attentix.

Bonjour Arbremagique ! Comment vas-tu ?

Je vais très bien, merci ! Mais dis-moi Attentix, où vas-tu comme ça ?

Je cherche la route qui me mènera au pays de l'Attention. On m'a dit que c'est un beau pays que je pourrai visiter chaque fois que je serai attentif. Sais-tu par où je dois aller ?

Il s'agit d'un pays lointain… Tu auras beaucoup de chemin à parcourir avant d'y arriver ! Je crois que tu devrais utiliser le pouvoir de ton imagination pour trouver la réponse à ta question. Est-ce que tu connais ce pouvoir ?

Non. Explique-moi vite comment je dois faire pour l'obtenir !

Tu n'as pas à chercher ce pouvoir bien loin, puisqu'il se trouve dans ta tête ! Il te suffit de le secouer un peu pour l'activer, car parfois il paresse dans un coin de ton cerveau ! Le pouvoir de l'imagination te permet de découvrir toutes les idées que tu as à l'intérieur de toi.

Quand tu cherches la réponse à une question, réveille gentiment ton imagination et elle t'aidera à la trouver!

 Tu crois que le pouvoir de mon imagination pourrait m'aider à trouver le pays de l'Attention?

 J'en suis certain! Mais tu dois d'abord te détendre et te sentir bien pour parvenir à réveiller doucement ton imagination. Prends le temps de voir dans ta tête les images de ton imagination. Est-ce que tu entends ce que ton imagination te dit? Tu sais, Attentix, tu peux même te parler à toi-même, te poser des questions et réfléchir dans ta tête.

 Génial! Mon imagination peut m'aider à découvrir tellement de choses à l'intérieur de moi!

 Rappelle-toi toujours d'utiliser le pouvoir de ton imagination quand tu dois répondre à une question ou résoudre un problème.

 Merci pour ce bon conseil, Arbremagique! Je ne sais pas encore où se trouve le pays de l'Attention, mais je vais utiliser mon imagination pour poursuivre ma recherche d'indices!

Si tu continues ta quête, tu vas acquérir de nouvelles connaissances et tu deviendras plus sage.

Les yeux remplis d'espoir, Attentix remercie son bon ami. Grâce à Arbremagique, le jeune garçon sait qu'il peut maintenant compter sur le pouvoir de son imagination.

Le pays de l'Attention n'est peut-être pas si loin, après tout... Bonne chance, Attentix!

Outil 4 : Des images plein la tête

Objectifs

Stimuler l'imagination de votre enfant et développer l'acuité de ses sens, tout en l'exerçant à centrer son attention.

Utilisation de la métaphore

La métaphore représente un cadre imaginaire dans lequel il est possible d'intégrer cette activivé. Inspirez-vous de l'univers d'Attentix et explorez par la suite d'autres mondes imaginaires de votre choix pour faire travailler l'imagination de votre enfant.

Description de l'outil

L'activité doit stimuler tous les sens, un à un. Commencez par nommer clairement les cinq sens (la vue, l'ouïe, le toucher, le goût et l'odorat) avant de stimuler chacun d'eux.

Invitez votre enfant à fermer les yeux. Proposez-lui d'imaginer Arbremagique dans un champ verdoyant. Encouragez-le à visualiser Attentix, ce valeureux personnage. Invitez-le à se représenter mentalement un oiseau qui vole dans le ciel, le soleil qui se lève derrière une montagne ou tout autre élément du monde d'Imaginaria.

Parlez lentement et doucement afin que votre enfant puisse bien imaginer ce que vous décrivez. Insistez sur des éléments qui se rapportent aux sens, par exemple la douceur d'un plumage (toucher), la couleur d'une feuille (vue), l'odeur d'une fleur (odorat), etc. Plus votre enfant se montrera à l'aise avec ces composantes sensorielles, plus sa capacité d'être attentif à différents types d'informations sera grande, ce qui l'aidera à se concentrer davantage sur les tâches à accomplir.

Chaque élément imaginé stimule une ou plusieurs composantes sensorielles. Le tableau suivant contient quelques exemples dont vous pourriez vous inspirer.

ÉLÉMENTS	VUE	OUÏE	TOUCHER	ODORAT	GOÛT
Après avoir lu ou écouté la métaphore :					
» Ce que tu as vu	✗				
» Ce que tu as entendu		✗			
» Ce que tu as ressenti			✗		
Quelle est la couleur de ta chambre ? De quelle couleur est la porte d'entrée de l'école ? Quelle est la forme de la table du salon ? Combien y a-t-il de fenêtres dans la cuisine ?	✗				
Imagine le son d'une sirène de bateau ou d'une cloche ou encore le jappement d'un chien.	(✗)	✗			
Parle-toi dans ta tête, chante une chanson.		✗			
Imagine qu'il fait froid, que tes mains sont remplies de sable fin, que tu caresses un chaton, que tu touches l'écorce d'un arbre.	(✗)		✗		

ÉLÉMENTS (suite)	VUE	OUÏE	TOUCHER	ODORAT	GOÛT
Vocabulaire imaginaire : rhinocérogirafe, moineautruche, moustigre, éléphanthon, corbotigre, crapothon, crocodilours, crocochien, hippopoalligator, perrochien, tigrours	x	x	x		
Ton dessert favori	(x)			(x)	x
Une fleur	(x)			x	

( ) = Facultatif

Matériel facultatif

Une illustration de votre choix qui sert de point de départ. Vous pouvez notamment utiliser l'une des illustrations offertes sur le cédérom.

Contexte d'utilisation

 Idéal dans les moments de tension.

 Convient parfaitement à l'heure du coucher.

 Activité à éviter en présence d'autres personnes, car il importe que vous soyez seul avec votre enfant alors qu'il est bien disposé.

 Pour les enfants de six ans et plus.

Outil 5 : Le scénario

Objectif

À l'aide d'un court scénario, inviter l'enfant à imaginer une situation dans laquelle son comportement est inadéquat et l'amener à corriger ce comportement de la façon souhaitée.

Utilisation de la métaphore

Comme vous l'avez fait avec l'outil numéro 4, stimulez au maximum l'imaginaire sensoriel de votre enfant, cette fois dans le but qu'il affiche à la longue le comportement que vous désirez lui inculquer. Pour ce faire, votre enfant devra être dans de bonnes dispositions physiques et psychologiques. Répétez l'activité régulièrement à l'aide d'ancrages (exemples : illustrations, textes, mots, photographies, etc.) qui serviront à faire le pont entre l'imaginaire de votre enfant et le monde réel.

Description de l'outil

En compagnie de votre enfant, déterminez une situation dans laquelle son comportement laisse à désirer. Déterminez très clairement les sentiments qui l'habitent dans cette situation afin de planifier adéquatement l'étape suivante. Élaborez ensuite un scénario qui lui permettra de s'imaginer dans cette situation et de corriger son attitude. Supposons que votre enfant ait du mal à se comporter normalement dans les centres commerciaux. Dans ce cas, vous pourriez alors l'inviter à formuler à haute voix toutes les étapes de sa sortie au centre commercial et lui rappeler l'attitude et le comportement que vous souhaiteriez qu'il affiche. Une fois le scénario clairement établi, mettez-le par écrit ou faites-en un petit schéma très simple pour que votre enfant puisse le réviser souvent et se le rappeler en un coup d'œil.

Les éléments suivants vous permettront de concevoir un scénario efficace :

> » Déterminez le comportement indésirable ;
> » Ciblez le contexte dans lequel votre enfant affiche le comportement qui laisse à désirer ;
> » Déterminez le nouveau comportement que vous cherchez à lui inculquer ;
> » Le nouveau comportement doit se traduire en gestes concrets et observables ;
> » Le comportement doit être approprié au contexte ;
> » Fixez un objectif que comprendra votre enfant et qui lui conviendra aussi ;
> » L'objectif doit être réaliste et concret pour l'enfant.

Matériel

Papier et crayon

Contexte d'utilisation

 Idéal pour modifier tout comportement inacceptable comme se donner en spectacle devant des visiteurs, se bagarrer avec ses compagnons de jeu et être insolent dans un endroit public.

 Idéal aussi pour faciliter l'intégration de routines, comme celles du bain, du lever et du coucher.

 À éviter quand le comportement de votre enfant s'avère incontrôlable.

 À éviter lorsque vous comptez modifier un comportement qui permet peu de possibilités de scénarisation, comme se ronger les ongles.

 Pour les enfants de sept ans et plus.

Objectif

Stimuler l'imagination de l'enfant pour qu'il soit en mesure de recentrer son attention.

Utilisation de la métaphore

Activez l'imaginaire de votre enfant en l'invitant cette fois à procéder à un compte à rebours. Éveillez bien les sens de votre enfant en évoquant les caractéristiques physiques des chiffres qu'il imaginera dans sa tête.

Description de l'outil

Cet outil vous permet d'appliquer les principes des deux activités précédentes.

Invitez votre enfant à fermer les yeux et à procéder à un compte à rebours, de 10 à 0, par exemple. Demandez-lui de visualiser les chiffres à partir d'un nombre prédéterminé. Invitez votre enfant à visualiser les chiffres et à en observer la forme et la couleur. Demandez-lui aussi de répéter les chiffres dans sa tête. Est-il capable de les toucher ? Quelle est la texture des chiffres ?

Si votre enfant a de la difficulté à compter à rebours, l'activité est tout aussi pertinente en comptant normalement. En outre, vous pouvez varier l'activité en proposant à votre enfant d'énumérer les voyelles de l'alphabet, par exemple, et de bien les visualiser dans sa tête.

Matériel

Aucun

Contexte d'utilisation

 Idéal avant d'exécuter une tâche intellectuelle ; permet de recentrer votre enfant sur l'aspect cognitif d'une tâche, par exemple, avant de commencer les leçons.

 Idéal pour calmer votre enfant quand il est tendu ou qu'il se sent désorganisé.

 À éviter dans le cadre d'un apprentissage de routine, car cela fait intervenir trop d'éléments pour une visualisation simple comme celle-ci.

 À éviter quand l'enfant ne sait pas compter.

 Pour les enfants de six ans et plus.

SECTION 2 : L'AUTOCONTRÔLE

(Autocontrôle corporel)

 Le grand Torpédor est l'aigle de la réalité qui habite dans l'île des illusions. Écoute-le se présenter.

 Je suis le gardien de l'île des Illusions. Mes sens très aiguisés ne se laissent jamais distraire par les nombreux artifices de cette fabuleuse île. Je vole d'une manière assurée. Mon jugement est bien net. Quand je le peux, j'avertis les visiteurs de faire attention, car l'île est si distrayante qu'on en perd parfois ses idées et on ne sait plus où on en est.

 Torpédor est majestueux. Il contrôle parfaitement ses ailes au moment de son envol. Aujourd'hui, Torpédor donne une leçon de vol à son neveu Torpille.

 Torpille, tu commences à peine à voler. J'ai beaucoup de choses à t'apprendre. D'abord, tu dois savoir que la maîtrise de soi est essentielle dans l'art de voler. Quand tu seras trop agité pour te concentrer à voler, je te ferai un signe avec mon bec. Ce signe est important, car il t'indiquera de cesser de bouger pour mieux te concentrer. Tu adopteras alors la position du guet, qui consiste à demeurer complètement immobile afin d'avoir le parfait contrôle de ton corps et de tes idées. Ensuite, tu te remettras au travail. Avec de la pratique, tu arriveras à maîtriser cette position et à la trouver relaxante.

 Torpédor s'envole alors avec Torpille pour lui enseigner des manœuvres simples. L'aiglon est si content de réussir à voler aussi haut que son oncle qu'il regarde partout et tente une spectaculaire vrille pour s'amuser. Torpédor observe le comportement de Torpille, qui change dangereusement de direction. Il le rattrape et lui fait un signe avec son bec pour l'inviter à se poser. Torpille s'exécute et cesse de bouger.

 Cher neveu, tu es jeune et tu es rempli d'énergie. Mais tu te laisses facilement distraire. Pour devenir un as du vol, tu devras d'abord apprendre à te contrôler. J'ai une recette pour t'aider à y arriver. Elle comprend cinq étapes.

1. Prends conscience que tu es agité.
2. Place ton corps bien droit et regarde droit devant.
3. Prends une grande respiration et expire tout doucement.
4. Demande-toi ce que tu devrais être en train de faire en ce moment.
5. Réponds à la question et remets-toi à la tâche.

 Torpille veut apprendre à maîtriser son corps et ses idées pour devenir un as du vol. Les trucs de Torpédor l'aident beaucoup à rester calme et à se concentrer sur les consignes de son oncle.

Mais Torpille est parfois incapable de faire le guet et d'arrêter de bouger. Quand il est fébrile, il prend un petit caillou et il le manipule avec ses pattes. Ce geste simple l'aide à demeurer calme pour se concentrer sur sa tâche la plus importante : apprendre à voler.

Torpédor est vraiment fier de son neveu. Dorénavant, Torpille ne se laissera plus facilement distraire : il deviendra un jour gardien de l'île des Illusions.

Outil 7 : L'arrêt

Objectif

Permettre à l'enfant de prendre un temps d'arrêt à l'aide d'un support interne, comme un mot ou une image que l'enfant se rappelle, ou externe, comme un pictogramme ou un objet par exemple.

Utilisation de la métaphore

Lorsque Torpédor montre à voler à Torpille, il utilise un signe du bec pour que son neveu fasse le guet, soit qu'il arrête de bouger, qu'il écoute les consignes et qu'il se questionne sur ce qu'il doit faire pour flotter au vent. Faites appel à cette stratégie pour inciter votre enfant à se calmer quand il se montre trop agité ou qu'il affiche un comportement inapproprié.

Description de l'outil

Vous pouvez utiliser l'illustration d'un panneau «Arrêt» pour indiquer à votre enfant de faire le guet. Vous pouvez également convenir avec votre enfant d'un autre symbole, comme lever la main bien haut.

La position du guet provoque un temps d'arrêt permettant un délai de réaction.

Il favorise le questionnement de l'enfant (Que dois-je faire en ce moment?) et la prise d'une meilleure décision quant à l'action ou au comportement à prendre.

Matériel facultatif

Panneau «Arrêt» offert dans la section «Du matériel complémentaire» du cédérom

Contexte d'utilisation

 Idéal lorsque votre enfant est agité, qu'il se montre désorganisé ou qu'il bouge sans arrêt; permet de le calmer.

 Idéal lorsque votre enfant agit sur l'impulsion du moment ou qu'il s'apprête à prendre une décision sans réfléchir.

 Attention! L'utilisation trop fréquente du panneau Arrêt peut, à la longue, irriter et frustrer votre enfant.

 Éviter d'utiliser le panneau Arrêt hors du milieu familial, car il devient importun.

 Pour les enfants de tous âges (avec l'illustration du panneau Arrêt pour les plus jeunes et sans elle pour les enfants de neuf ans et plus).

Outil 8 : L'autocontrôle de Torpille

Objectif

Favoriser un temps d'arrêt et un retour à la tâche, à l'aide d'illustrations.

Utilisation de la métaphore

Faites appel à la stratégie de Torpille pour améliorer l'autocontrôle de votre enfant. Présentez l'activité comme suit:
1. Torpille prend conscience qu'il est agité.
2. Torpille se dit: «Je place mon corps bien droit et je regarde droit devant.»
3. Torpille prend une grande respiration et expire tout doucement.
4. Torpille se demande ce qu'il devrait être en train de faire en ce moment.
5. Torpille répond à la question et se remet à la tâche.

Description de l'outil

Cinq illustrations vous sont fournies à la page suivante. Montrez la première illustration à votre enfant, celle sur laquelle Torpille est particulièrement agité. Comparez le comportement fébrile et excité de votre enfant à celui de Torpille. Rappelez-lui les propos de Torpédor qui soulignent l'importance d'apprendre à se contrôler.

Tout en lui montrant la deuxième illustration, dites à votre enfant de placer son corps bien droit et de regarder droit devant.

Présentez-lui la troisième illustration et invitez-le à prendre une grande respiration et à expirer tout doucement.

Montrez-lui la quatrième illustration et demandez-lui ce qu'il devrait être en train de faire en ce moment.

Enfin, à l'aide de la cinquième illustration, invitez votre enfant à répondre à la question et à se remettre à la tâche.

Matériel

Les cinq illustrations de la stratégie préconisée par Torpille (voir ci-dessous)

Contexte d'utilisation

 Idéal pour assurer l'autocontrôle de votre enfant au moment des devoirs et des leçons ; très efficace aussi quand votre enfant vit une frustration.

 Idéal au moment de toute prise de décision.

 Difficile à appliquer lorsque votre enfant n'est plus en contrôle de lui-même.

 Pour les enfants de 7 à 10 ans.

Objectif

Répondre à un besoin de bouger, de toucher ou de porter des objets à la bouche.

Utilisation de la métaphore

Expliquez à votre enfant comment il est possible de gérer ses impulsions du moment en adoptant un autre comportement. Illustrez-lui votre propos en faisant allusion à Torpille qui, lorsqu'il est fébrile, prend un petit caillou qu'il manipule avec ses pattes. Ce geste simple lui permet de demeurer calme et de se concentrer sur sa tâche.

Description de l'outil

Lorsque votre enfant porte ses doigts ou un objet à la bouche, joue avec ses cheveux ou bouge inutilement, compensez ce besoin de stimulation en lui permettant de manipuler certains objets. Voici quelques suggestions qui pourraient agir à titre d'anti-stress :

> » Une balle anti-stress ;
> » Des petits morceaux de légume à grignoter ;
> » Des feuilles et des crayons pour dessiner ;
> » De l'eau à boire entre les leçons ;
> » De la gomme à mâcher.

Matériel

Variable selon le contexte et l'âge de l'enfant

Contexte d'utilisation

 Idéal dans les situations où votre enfant doit rester calme pour une longue période, par exemple au moment des devoirs.

 Idéal au moment des déplacements en voiture.

 À éviter lorsque votre enfant participe à une conversation.

 À éviter lorsque des interactions sociales s'avèrent nécessaires.

 Pour les enfants de tous âges.

Objectif

Favoriser l'autocontrôle de l'agitation physique par une méthode simple de régulation du rythme cardiaque.

Utilisation de la métaphore

Torpille doit apprendre à se calmer pour adopter la position du guet, qui consiste à demeurer complètement immobile afin d'avoir le parfait contrôle de son corps et de ses idées. Apprenez à votre enfant à diminuer son rythme cardiaque pour adopter plus facilement la position du guet.

Description de l'outil

Vérifiez d'abord que votre enfant comprend bien ce qu'est le rythme cardiaque et qu'il sait comment repérer ses pulsations. Rappelez-lui que son rythme cardiaque est, entre autres, un indice de son degré d'agitation : plus il est agité et plus son cœur bat rapidement. Invitez-le à prendre son pouls à différentes occasions lorsqu'il est calme ou lorsqu'il est agité, afin qu'il perçoive bien la différence.

Lorsque votre enfant est excité, invitez-le maintenant à prendre son pouls et à taper du doigt sur une table au même rythme que ses pulsations. Demandez-lui ensuite de taper du doigt plus lentement. En se concentrant sur sa respiration et sur le mouvement de son doigt, votre enfant devrait parvenir à réduire son rythme cardiaque et à retrouver assez rapidement le calme.

Matériel

Aucun

Contexte d'utilisation

 Idéal avant la période des devoirs.

 Idéal à la suite d'une activité très stimulante.

 À éviter lorsque votre enfant est en présence d'autres personnes qui pourraient le distraire, car la technique nécessite une bonne concentration.

 À éviter lorsque votre enfant ne se contrôle plus.

 Pour les enfants de neuf ans et plus.

(Autocontrôle cognitif)

 Petit Bourdon rend visite à ses amies les fourmis qui ont pris soin de lui alors qu'il était bébé. Petit Bourdon arrive maintenant à l'entrée de la fourmilière.

 Bonjour mon amie! Je suis heureux de te revoir. Dis donc, la fourmilière a beaucoup changé depuis ma dernière visite! C'est une véritable ville! Comment évitez-vous les accidents et les embouteillages avec toute cette circulation?

 Il suffit d'être bien organisé et de respecter le travail de chacune. Nous avons toutes une responsabilité ici. Moi, je surveille l'entrée de la fourmilière. Je vérifie ce que chaque fourmi transporte avant de la laisser entrer dans notre domaine. Parfois, je dois lui dire de laisser à l'extérieur certains paquets que je juge inutiles pour éviter d'encombrer nos routes.

 Est-ce difficile de déterminer qui peut entrer avec son paquet?

 Non. Tu sais, pour bien s'organiser, rien de mieux que de se parler! Alors, j'ai des questions précises à poser à chaque fourmi qui se présente à l'entrée de la fourmilière. Je discute avec ma consœur, puis je prends ma décision: passera, passera pas…

Tu sais Petit Bourdon, le fonctionnement d'une fourmi lière ressemble beaucoup au fonctionnement de ton cerveau. Ton cerveau est aussi rempli de petites routes sur lesquelles de nombreuses idées et émotions' circulent. Pour éviter de te perdre dans tes pensées, tu dois bien faire travailler ton cerveau. Parles-tu parfois à ton cerveau?

 Tu veux dire que mon cerveau est semblable à une grosse fourmilière? C'est vrai que, souvent, mes pensées sont mêlées et je ne sais plus ce qui est vraiment utile pour moi. Tu crois que je devrais parler à mon cerveau pour mieux y faire circuler mes idées et mes émotions?

Absolument, Petit Bourdon. Avant d'agir et de prendre des décisions, tu dois parler à ton cerveau pour vérifier la pertinence de l'information que tu emmagasines. Prends l'habitude de le faire en silence, en te parlant dans ta tête. Un cerveau bien organisé est un cerveau efficace qui t'aide à te concentrer, à faire les bons choix et à prendre les meilleures décisions!

Petit Bourdon est bien content de cette discussion avec son amie la fourmi. Pour prendre de bonnes décisions, toujours il parlera à son cerveau. Quand il se parlera dans sa tête, Petit Bourdon fera comme ses amies les fourmis qui dialoguent pour mieux s'organiser. Quel bon truc de fourmi!

Outil 11 : La fourmi douanière

Objectif

Développer l'autocontrôle et le réflexe du dialogue interne pour réduire les comportements impulsifs.

Utilisation de la métaphore

Expliquez à votre enfant que le fonctionnement d'une fourmilière s'apparente beaucoup au fonctionnement de son cerveau, en ce qu'il est truffé de petites routes sur lesquelles de nombreuses idées et émotions circulent. La fourmi douanière est chargée des autorisations d'accès à la fourmilière. Pour ce faire, elle pose trois questions à chaque fourmi qui désire y entrer.

En ce qui concerne votre enfant, l'idée consiste à déterminer si les propos qu'il compte tenir ou le geste qu'il compte faire sont désirés. Les questions de la fourmi douanière peuvent alors lui être utiles.

Description de l'outil

Votre enfant doit déterminer si certains propos qu'il compte tenir ou certains gestes qu'il compte faire pourraient s'avérer blessants, inutiles ou inopportuns. Pour l'éclairer, invitez-le à répondre aux trois questions suivantes, inspirées des questions de la fourmi douanière.

Fourmi	Enfant
La matière que tu transportes est-elle dangereuse?	Les propos que tu comptes tenir ou le geste que tu comptes faire sont-ils blessants à tes yeux?
Cette matière est-elle indispensable à la survie de la fourmilière?	Ces propos ou ce geste sont-ils vraiment utiles ou intéressants dans la situation actuelle?
Cette matière est-elle utile à la fourmilière en ce moment?	Ces propos ou ce geste sont-ils utiles en ce moment?

Ainsi, la fourmi douanière confisque et détruit toute matière qu'elle juge dangereuse pour la santé et la sécurité de ses consœurs. Chez l'enfant, tout propos ou tout geste qui pourrait s'avérer blessant devrait être écarté sur-le-champ.

Lorsque la matière transportée est jugée inutile à la survie de l'habitation des fourmis, la fourmi douanière l'achemine à l'extérieur de la fourmilière ou à l'entrepôt. Chez l'enfant, le geste ou le propos jugé inutile est transféré en mémoire, noté ou acheminé vers quelqu'un d'autre pour une utilisation future.

Quand la fourmi douanière juge la matière utile, mais que le moment est inopportun pour l'acheminer dans la fourmilière, par exemple parce qu'il y a trop de circulation en ce moment, elle fait attendre la fourmi et son chargement afin de bien choisir le moment de son entrée. Chez l'enfant, le geste ou le propos jugé utile, mais qui tombe mal, est mis en attente un court instant jusqu'à ce qu'il puisse l'exploiter.

Lorsque votre enfant a répondu de la bonne façon aux trois questions précédentes, invitez-le à partager son geste ou son propos, tout comme la fourmi douanière autoriserait l'accès à la fourmilière à une consœur.

Matériel

L'illustration de la fourmilière offerte dans la section « Du matériel complémentaire » du cédérom

Contexte d'utilisation

 Idéal pour développer l'autocontrôle et le réflexe du dialogue interne, peu importe la situation.

 Aucune restriction.

 Pour les enfants de huit ans et plus.

MÉTAPHORE *La chenille et le papillon*

(Autocontrôle des émotions)

 Bonjour, Attentix. Comment vas-tu aujourd'hui ?

 Très bien. Tu sembles porter ton plus beau feuillage.

 Oui, j'essaie toujours d'être accueillant pour tous mes amis de la forêt. Pour toi, pour les oiseaux, les écureuils, les lapins, les chevreuils et tous les autres.

À ce moment précis, un magnifique papillon vient se poser sur le tronc d'Arbremagique. Attentix ne peut s'empêcher de s'exclamer…

 Comme tu as de belles ailes!

 Merci de ce compliment!

 Dis-moi, Papillon, comment as-tu fait pour avoir des ailes aussi vigoureuses?

 Il y a longtemps, je n'étais qu'une toute petite chenille poilue. Tout le monde me disait qu'un jour je deviendrais un joli papillon, mais j'avais de la difficulté à le croire.

 Qu'est-ce qui est arrivé?

 Un beau matin, j'ai senti que j'allais changer. Je me suis construit un beau cocon au creux d'une branche. Puis je me suis reposé dans mon cocon. Alors, j'ai commencé à me transformer. Je me concentrais très fort sur ma transformation. Lorsque je me sentais à l'étroit, j'aurais voulu briser mon cocon et m'envoler tout de suite, mais je n'étais pas encore prêt. Mes ailes n'auraient pas tenu le coup. Je serais mort. Je me concentrais donc encore plus fort pour atteindre mon but.

 Ça devait être difficile de ne pas perdre courage…

 Au début, oui. J'avais hâte de sortir de mon cocon. Mais j'ai appris à me contrôler. Je savais que si j'allais trop vite, mes ailes ne seraient pas assez fortes. Je devais me maîtriser et travailler à ma tâche: me construire de belles ailes.

 Tu as dû travailler terriblement fort…

 Ah oui! Pour m'aider à me contrôler, je fixais mon attention sur mon objectif.

 Comment faisais-tu cela?

Je voyais dans mon imagination la forme et les couleurs que je voulais pour mes ailes. En me concentrant très fort, je les voyais clairement. Je savais que plus mon objectif serait précis dans ma tête, plus j'avais de chances de l'atteindre. Puis, je me parlais pour m'encourager. Je me répétais que je devais me contrôler si je voulais avoir de belles ailes vigoureuses qui me permettraient de voler. Aujourd'hui, je suis satisfait de moi. Je me félicite d'avoir su me contrôler parce que la vigueur de mes ailes m'aide à voler.

 Si tu as de belles ailes, c'est que tu as fait des efforts pour ça. Tu peux être fier de toi. Bravo!

 Soudain, une douce brise vient chatouiller les antennes de Papillon.

 Tiens, le vent se lève. Je dois vous quitter, mais je suis bien heureux d'avoir fait votre connaissance. À bientôt, mes amis!

 Au revoir, Papillon! Grâce à toi, je comprends pourquoi il est important de se contrôler. Tu n'aurais jamais pu voler si tu ne t'étais pas contrôlé dans ton cocon.

 Souviens-toi Attentix : pour bien se contrôler, il faut avoir un objectif dans ta tête, comme Papillon.

 Oui, oui. Je dois voir mon objectif dans ma tête et m'encourager à l'atteindre.

 Dans ta recherche du pays de l'Attention, crois-tu que tu peux utiliser les trucs de Papillon pour te contrôler?

 Bien sûr, je dois voir mon objectif dans ma tête, comme d'être immobile pour mieux me concentrer sur ma tâche. Puis, je dois m'encourager.

 Si tu parviens à te contrôler autant que notre ami Papillon, tu visiteras sûrement le pays de l'Attention.

Objectif

Diminuer l'intensité des réactions émotionnelles face aux événements.

Utilisation de la métaphore

Le cocon magique nous protège des situations plus difficiles. Expliquez à votre enfant que ce cocon, à l'image du cocon de la chenille, lui permet de développer le contrôle de soi dans à peu près toute situation. Faites-lui comprendre qu'il s'agit d'une protection imaginaire.

Description de l'outil

Expliquez à votre enfant que le cocon magique lui permet de se protéger des situations qui le font réagir vivement, et donc de mieux contrôler ses émotions. Invitez-le à visualiser ce cocon pour qu'il prenne un certain recul face à la situation susceptible de le perturber. Vous pouvez aussi demander à votre enfant de dessiner son cocon magique et de se dessiner à l'intérieur. Invitez-le à afficher son dessin dans un endroit visible de la maison pour qu'il puisse l'observer au moment opportun.

Matériel facultatif

Papier et crayons de couleur

Contexte d'utilisation

 Idéal au moment où votre enfant se sent menacé par son environnement.

 Idéal au moment où votre enfant doit maîtriser ses impulsions du moment.

 Évitez de faire appel à cette activité trop souvent ; vous empêcherez ainsi votre enfant de se couper du monde extérieur.

 À déconseiller quand votre enfant s'oppose vivement à votre autorité pour éviter qu'il ne se ferme complètement.

 Pour les enfants de quatre ans et plus.

Objectif

Contrôler sa frustration et ses émotions notamment dans des situations qui nécessitent une certaine maturité.

Utilisation de la métaphore

Expliquez à votre enfant qu'il est encore trop jeune et trop fragile pour affronter certaines réalités du monde adulte. Afin qu'il comprenne bien la nature de vos propos, faites une analogie avec la chenille qui est dans son cocon et qui n'est visiblement pas prête à affronter les réalités du monde extérieur. Dites à votre enfant que, lorsque la chenille se sera transformée en papillon, c'est-à-dire lorsqu'elle aura atteint sa pleine maturité, la petite bête pourra voler là où bon lui semble. Il en sera de même pour lui.

Pour l'instant, tout comme la chenille, votre enfant doit faire preuve de patience. L'analogie sera utile pour lui faire prendre conscience que votre attitude ne vise nullement à le brimer et ne devrait pas soulever sa colère. Comme le cocon pour la chenille, votre autorité vise à le protéger.

Description de l'outil

Expliquez à votre enfant que les adultes le protègent des dangers du monde extérieur, du fait qu'il est encore très jeune. Dites-lui qu'il est semblable à la chenille protégée par son cocon et qu'un jour, comme la chenille devenue papillon, il pourra voler de ses propres ailes. Confirmez-lui aussi qu'il sera alors assez grand pour partir à l'aventure.

Pour renforcer l'analogie, faites allusion à plusieurs situations que vous jugez trop dangereuses pour lui en ce moment, mais qu'il pourra affronter dès que vous jugerez qu'il en est capable. Fournissez-lui quelques exemples qui respectent son développement, comme traverser la rue seul, faire de la bicyclette, utiliser la cuisinière, rentrer tard le soir, se rendre à un spectacle avec des amis, etc.

Expliquez-lui qu'il doit maîtriser ses émotions et faire preuve de patience. Rien ne lui sert de se mettre en colère ou de rouspéter ; c'est pour son bien que vous maintiendrez votre position. Petit papillon deviendra grand... en attendant, il lui faut être patient !

Enfin, vous pouvez faire allusion à la patience de la chenille, qui a su respecter les étapes de sa transformation pour atteindre son but. Dans certaines situations hors de votre contrôle, votre enfant doit prendre exemple sur la chenille en respectant les étapes à suivre pour atteindre son objectif, par exemple patienter en file avant d'avoir une table au restaurant. Vous pourriez utiliser l'illustration de la chenille qui se trouve sur le cédérom afin de soutenir l'attention de votre enfant.

Matériel

L'illustration de la chenille offerte dans la section « Les personnages » du cédérom

Contexte d'utilisation

 Idéal dans une situation où votre enfant n'a pas les capacités physiques ou intellectuelles pour accomplir une action qu'il souhaiterait cependant faire.

 Idéal lorsque votre enfant doit faire preuve de patience dans une situation hors de votre contrôle, par exemple chez le médecin ou à l'aéroport.

 Ne pas utilisez l'analogie du papillon pour faire patienter votre enfant pendant que vous vaquez simplement à d'autres occupations.

 À éviter lorsque votre enfant est incontrôlable ou en colère.

 Pour les enfants de 4 à 10 ans.

SECTION 3 : LA MOTIVATION ET L'INTÉRÊT

MÉTAPHORE *Les Spoinks*

(Renforcement)

 Attentix te présente de drôles de petites bêtes : ses amis les Spoinks.

 Chaque habitant de mon village essaie d'être l'ami du plus grand nombre possible de Spoinks. Ces mignons petits êtres poilus dorment presque tout le temps. Ils sont doux et agréables à caresser. Plus on les caresse, plus ils se sentent bien et plus ils sont remplis d'amour. On les adore !

Ce qui est surprenant avec les Spoinks, c'est leur comportement imprévisible. Ils s'éveillent en sursaut et se mettent à rebondir partout comme une balle ! Chaque bond libère une belle énergie. C'est vraiment agréable !

Les Spoinks se calment ensuite assez rapidement. Ils savent maîtriser leur énergie, même si ce n'est pas toujours facile. Avant de se rendormir, ils aiment bien décrire ce qu'ils apprécient autour d'eux. Ils sont conscients qu'il importe de vivre en harmonie. Ils ne formulent que des compliments et des mots d'encouragement.

 Les Spoinks sont de véritables boules d'amour qui partagent leur énergie avec les gens qui les entourent. C'est pourquoi plus il y a de Spoinks dans l'entourage, plus les gens deviennent forts et confiants. Se sentir aimé et valorisé aide vraiment à faire des efforts pour se concentrer et pour relever plein de défis.

Si, un jour, on te dit que tu ressembles à un Spoink, souris ! C'est que tu es vraiment génial !

Objectif

Modifier un comportement indésirable par le renforcement (système de récompenses).

Utilisation de la métaphore

Expliquez à votre enfant qu'il aurait tout intérêt à imiter les habitants du village d'Attentia en cherchant à établir des liens d'amitié avec les Spoinks. Cette démarche lui permettra de devenir fort et confiant. La valorisation de soi l'amènera à déployer plus d'efforts pour se concentrer sur sa tâche et à relever un très grand nombre de défis.

Description de l'outil

Choisissez un comportement indésirable de votre enfant et discutez-en avec lui pour qu'il comprenne bien en quoi son attitude pourrait être améliorée. Encouragez-le à adopter d'autres comportements tout en lui expliquant les enjeux de ces changements. Faites-lui bien voir que l'activité que vous lui proposez représente un beau défi et qu'il pourra être très fier de lui lorsqu'il l'aura relevé. Vous êtes sûrement déjà bien fier qu'il se prête au « jeu » avec vous dans le but de s'améliorer ! La valorisation est au cœur de cette activité.

Utilisez l'une des grilles offertes sur le cédérom pour inscrire l'objectif que l'enfant devrait atteindre, par exemple : d'ici deux semaines, accumulez 12 Spoinks en restant calme sur sa chaise lors d'un repas et en attendant la permission de se lever. Vous pouvez décider ensemble d'une récompense que vous accorderez à votre enfant s'il atteint son objectif. Attention aux récompenses démesurées, comme l'achat d'un jouet à la mode. Dans notre exemple, une récompense appropriée et en rapport avec l'objectif serait d'aller manger en famille dans un restaurant que l'enfant aime bien, d'inviter un ami à manger à la maison ou encore de déguster une double portion de son dessert favori.

Sur la grille, notez votre degré de tolérance avec précision : deux manquements sont acceptables les premiers jours ; un manquement les jours suivants ; aucun manquement la dernière semaine. Il est important d'établir des règles claires pour favoriser l'efficacité de l'outil et réduire le risque de négociations inutiles. Tracez un « X » dans la grille chaque fois que votre enfant affiche un comportement indésirable. Chaque jour, remettez un Spoink (une bille, un bouton ou un autre petit objet de votre choix) à votre enfant s'il a respecté les règles de votre entente en affichant le bon comportement.

À la fin de la période déterminée, comptez avec votre enfant le nombre de Spoinks dans sa banque. S'il n'a pas atteint son objectif, c'est qu'il ne maîtrise pas encore tout à fait le nouveau comportement. Proposez-lui de prolonger l'activité, par exemple pour une semaine encore. Veillez à ce que votre enfant ne perçoive pas la situation comme un échec, mais bien comme une étape de plus vers la réussite.

Matériel

Les grilles offertes dans la section « Du matériel complémentaire » du cédérom
Spoinks (billes ou autres) et le récipient pour les ranger

Contexte d'utilisation

 Idéal lorsque votre enfant affiche un comportement indésirable.

 Peut être utilisé en tout temps.

 Il est possible de travailler jusqu'à trois comportements à la fois.

 À éviter si l'objectif constitue pour le moment un défi trop important pour l'enfant. Cesser de bouger sur sa chaise lors d'un repas est un objectif réaliste pour la plupart des enfants. Toutefois, pour certains, ce but peut représenter un défi insurmontable. Optez plutôt pour une stratégie mieux adaptée : dans notre exemple, l'outil numéro 9 serait un bon choix.

 Éviter d'abuser des Spoinks car l'enfant pourrait en venir à refuser de faire des efforts dans d'autres circonstances où il n'y aurait pas d'enjeu de ce genre.

 Pour les enfants de tous âges.

Objectif

Faciliter l'acquisition d'un bon comportement par le renforcement, tout en fournissant des repères extérieurs à l'enfant.

Utilisation de la métaphore

Il s'agit d'une variante de l'outil précédent. On conserve la stratégie de la banque de Spoinks, mais on utilise des feux de circulation comme moyen d'action.

Description de l'outil

En établissant une analogie avec les feux de circulation, vous serez en mesure d'établir un code entre vous et votre enfant. Les feux de circulation peuvent être illustrés ou simplement évoqués verbalement.

Ainsi, le feu vert signifie que tout va bien ; le comportement recherché est observable sans aucune aide extérieure. Le feu jaune consiste en un rappel à l'ordre ; votre enfant comprend qu'il doit agir et mettre en pratique ce qu'il a appris. Vous pouvez alors recourir à un compte de trois pour permettre à votre enfant de s'exécuter. Le rouge indique que le compte est terminé, et qu'aucune mise en action n'est notée. Votre enfant n'a pas été en mesure d'afficher le comportement recherché.

L'obtention des Spoinks et leur échange contre une récompense s'effectuent comme dans l'activité précédente.

Matériel

Les grilles offertes dans la section « Du matériel complémentaire » du cédérom

Spoinks (billes ou autres) et récipient pour les ranger

Illustrations de feux de circulation, si nécessaire

Contexte d'utilisation

Mêmes recommandations que pour l'outil précédent. Précisons que l'outil est particulièrement utile pour des enfants qui ont besoin d'une aide extérieure pour prendre conscience de leur comportement.

Objectif

Renforcer les bons comportements et donner de la rétroaction à l'enfant.

Utilisation de la métaphore

L'accumulation de Spoinks procure une grande fierté à votre enfant et encourage chez lui le renforcement positif.

Description de l'outil

Une fois de plus, vous remettez un Spoink à votre enfant lorsqu'il affiche le bon comportement dans une situation donnée. Il peut s'agir, par exemple, de l'acquisition d'une nouvelle routine aussi bien que de la modification d'un comportement indésirable. Cette fois, vous n'utilisez aucune grille, et les Spoinks accumulés serviront de monnaie d'échange contre une récompense ou un privilège. Votre enfant peut décider d'échanger un petit nombre de Spoinks à la fois ou encore d'accumuler un grande quantité de Spoinks avant de demander un privilège. La liste des privilèges et la valeur d'échange d'un Spoink doivent être préalablement établies avec votre enfant. Ainsi, vous pourriez décider qu'une corvée de vaisselle peut être échangée contre cinq Spoinks. Retirez alors du pot le nombre de Spoinks requis par la valeur désignée.

Cette approche est très appréciée des enfants parce qu'elle est centrée sur la réussite et qu'elle favorise la valorisation.

Matériel

Spoinks (billes ou autres) et récipient translucide pour les ranger

Contexte d'utilisation

 Idéal pour l'apprentissage d'une nouvelle tâche ou d'une nouvelle routine.

 Idéal pour stimuler votre enfant, par exemple pour l'encourager à effectuer ses devoirs.

 Idéal lorsque votre enfant affiche un comportement indésirable.

 Aucune restriction.

Pour les enfants de tous âges.

Outil 15b : L'échelle des Spoinks

Objectif

Renforcer les bons comportements et donner de la rétroaction à l'enfant.

Utilisation de la métaphore

Il s'agit d'une variante de l'outil 14. Plutôt que d'accumuler des Spoinks dans un pot translucide, ajoutez des Spoinks sur un instrument de mesure gradué, ce qui permettra à votre enfant de visualiser davantage l'objectif à atteindre. Notez que les deux façons peuvent très bien se combiner.

Description de l'outil

Chaque étape à franchir peut être représentée par les barreaux d'une échelle, les degrés d'un thermomètre, les maillons d'une chaîne, etc. Vous n'avez qu'à illustrer l'instrument de mesure de votre choix. Chaque fois que votre enfant atteint un objectif, coloriez une étape de plus sur l'instrument de mesure gradué que vous aurez choisi.

Matériel

Illustration d'un instrument de mesure gradué de votre choix (voir l'exemple offert dans la section « Du matériel complémentaire » du cédérom)

Contexte d'utilisation

 Idéal pour l'apprentissage d'une nouvelle tâche ou d'une nouvelle routine.

 Idéal pour stimuler votre enfant, par exemple pour l'encourager à effectuer ses devoirs.

 Idéal lorsque votre enfant affiche un comportement indésirable.

 Aucune restriction.

 Pour les enfants de tous âges.

(Forces et faiblesses)

Retrouve Arbremagique et Attentix qui sont en train de se parler. Attentix vient tout juste d'arriver près de son ami Arbremagique, lorsqu'un groupe de bourdons vient tournoyer allégrement autour d'eux.

Comme ils sont rapides!

Ce sont des bourdons entraînés. C'est pour cette raison qu'ils sont très rapides. Mais ce n'est pas toujours facile pour les bourdons d'apprendre à voler. Ils doivent avoir beaucoup de volonté.

Je pensais que c'était facile. Ce n'est pas naturel pour eux?

Parfois la vie d'un bourdon est compliquée. Tiens! Voilà Petit Bourdon qui s'approche… Il va pouvoir t'expliquer mieux que moi.

Bonjour Attentix! Je vais te raconter mon histoire… Lorsque j'étais bébé, ma famille vivait en sécurité au creux d'une branche. J'étais le dernier-né et je ne savais pas encore voler. Mes parents m'encourageaient beaucoup. Ils me répétaient de faire battre mes ailes tous les jours pour bien les développer. En m'exerçant à battre des ailes, je regardais mes parents, mes frères et sœurs qui butinaient les fleurs. Je rêvais du jour où je les accompagnerais. Un matin, un gros oiseau a découvert notre branche. Il s'est mis à fouiller partout sous le feuillage pour trouver notre nid. Toute la famille avait peur. Quand l'oiseau est arrivé très près du nid, mon père nous a ordonné de nous enfuir à l'autre bout de la forêt. Ma sœur a bien essayé de m'aider, mais je suis tombé au pied de l'arbre. La larme à l'œil, mes parents sont partis en croyant que l'oiseau m'avait mangé. Dans ma cachette au pied de l'arbre, je les regardais s'éloigner en pleurant. Je me disais que lorsque je saurais voler, j'irais les retrouver. À ce moment précis, une fourmi s'est approchée de moi.

Pourquoi pleures-tu petit insecte?

Ma famille a dû s'enfuir. Je dois apprendre à voler pour pouvoir aller la rejoindre à l'autre bout de la forêt.

 Mais voyons! Tu es trop gros et tes ailes sont trop petites! Je ne veux pas te faire de peine, mais je ne crois pas que tu reverras un jour ta famille! Arrête de pleurer… Si tu veux, tu peux rester ici, près de la fourmilière. Mes amies sont bien gentilles, tu verras!

 J'étais bien triste. Mais les fourmis étaient sympathiques. Leur amitié m'a donné du courage. Bien sûr, elles ne croyaient pas que j'allais voler un jour, mais cela ne me fâchait pas. Des fourmis ne peuvent pas tout comprendre, et surtout pas le désir de voler d'un bourdon! Comme j'avais l'intention de voler jusqu'à l'autre bout de la forêt un jour, je m'exerçais à faire battre mes petites ailes même si je n'en avais pas toujours envie. Dans ma tête, je m'imaginais en train de butiner avec ma famille et ça me motivait à continuer mes exercices. J'observais le mouvement de mes ailes, puis je me répétais comment je devais forcer.

 Comment se déroulait ta vie avec tes amies fourmis?

 Certaines fourmis ont vu que je voulais réussir à voler et elles ont commencé à croire que mon objectif était réaliste. Elles se sont mises à m'encourager. J'étais encore plus déterminé à atteindre mon but! Je ne volais toujours pas, mais j'avais confiance en moi et je n'étais plus seul à croire à mon objectif!

Un jour que je m'exerçais à voler non loin de la fourmilière, j'ai entendu mes amies fourmis appeler à l'aide. Une grosse marmotte creusait le nid pour s'emparer de leurs provisions de nourriture.

 Tu voulais aider tes amies, mais qu'est-ce que tu pouvais faire?

 Je me suis souvenu du message que mon père me répétait souvent: «Quand on veut, on peut!» Papa avait raison: quand on se fixe un objectif réaliste et qu'on veut vraiment l'atteindre, on ne se décourage pas et on trouve comment y arriver.

Cette pensée m'a donné de l'énergie. J'ai fait travailler mon imagination et j'ai eu une idée géniale: «Je dois m'envoler pour faire déguerpir la vilaine marmotte! Je n'aurai pas à voler très longtemps, quelques secondes vont suffire. Je peux sauver mes amies!»

Pour atteindre mon but, je devais revoir mon plan dans ma tête. Je m'encourageais à continuer: «Quand on veut, on peut!» Mon objectif était réaliste: je savais que je ne pourrais pas voler longtemps la première fois. Mais un vol de quelques secondes suffirait. Dans un grand effort, j'ai battu des ailes aussi vite que possible. Prenant mon courage à deux ailes, j'ai foncé sur la marmotte pour la piquer au derrière! Je te dis qu'elle s'est enfuie rapidement! Je venais de sauver mes amies fourmis...

 Mais, d'habitude, les bourdons meurent après avoir piqué... Est-ce que tu as encore utilisé ta volonté pour te sortir de cette situation?

 Tu as raison, Attentix, un bourdon meurt après avoir utilisé son dard et il n'y peut rien. C'est la nature qui est faite ainsi. Mais cette fois, c'est la volonté des fourmis qui m'a sauvé la vie! Voyant que je perdais des forces, la grande fourmi sorcière s'est rappelé une recette magique pour faire repousser mon dard. Toutes les fourmis ont travaillé fort pour trouver les ingrédients de la recette magique.

 Ouf! tu l'as échappé belle! Une chance que les fourmis avaient la volonté de te secourir!

 Tu l'as dit! Peu de temps après cette aventure, j'ai annoncé à mes amies que le temps était venu pour moi de partir retrouver ma famille. J'avais repris des forces et mes ailes pouvaient maintenant me porter jusqu'à l'autre bout de la forêt. J'ai fait la bise à toutes mes copines et je suis parti.

 Quelle belle histoire! Est-ce que tu as retrouvé ta famille?

 J'ai retrouvé mes parents avec beaucoup de joie. Mais j'ai appris que mes frères et sœurs butinent maintenant dans un boisé voisin. Un jour, j'irai sûrement les visiter. Quand on veut, on peut...

 Tu vois, Attentix, comme la volonté est une qualité importante.

Je suis sûr que je peux utiliser ma volonté, comme Petit Bourdon, pour arriver au pays de l'Attention.

Si tu veux, tu peux !

Outil 16 : Les ailes du bourdon

Objectif

Déterminer les principales forces et les principales faiblesses de l'enfant.

Utilisation de la métaphore

Petit Bourdon possède une très belle qualité : sa volonté. C'est certainement l'une de ses principales forces. Comme tout le monde, cependant, Petit Bourdon a aussi certaines faiblesses. Il lui arrive parfois, par exemple, d'être trop gourmand quand il butine. Proposez à votre enfant de découvrir ses principales forces et ses principales faiblesses.

Description de l'outil

Proposez à votre enfant de dessiner Petit Bourdon et de mettre ses ailes en évidence pour y inscrire ses propres forces et ses propres faiblesses. Il importe que le nombre de forces et de faiblesses s'équivaille de manière à faire prendre conscience à votre enfant que sa personnalité compte deux côtés.

Le tableau suivant propose quelques forces et faiblesses susceptibles de se retrouver chez votre enfant.

Forces	Faiblesses
» Bonne humeur	» Agressivité
» Courage	» Caprice
» Débrouillardise	» Colère
» Discipline	» Égoïsme
» Douceur	» Entêtement
» Générosité	» Impatience
» Gentillesse	» Impolitesse
» Honnêteté	» Impulsivité
» Humour	» Ingratitude
» Intelligence	» Lâcheté
» Patience	» Négligence
» Persévérance	» Obstination
» Politesse	» Timidité
» Serviabilité	» Violence

Matériel

Des feuilles et des crayons de couleur

L'illustration de Petit Bourdon offerte dans la section « Les personnages » du cédérom

Contexte d'utilisation

 Idéal en toute occasion pour aider votre enfant à développer son estime de soi.

 Aucune restriction.

 Pour les enfants de sept ans et plus ou lorsque votre enfant comprend les notions de forces et de faiblesses.

Outil 17 : La fleur des forces

Objectif

Amener l'enfant à reconnaître ses forces afin de faire grandir son estime de soi.

Utilisation de la métaphore

Petit Bourdon répète inlassablement sa phrase préférée : « Quand on veut, on peut ! » Par là, il veut dire que la volonté de réussir est le premier ingrédient de la recette du succès.

Proposez à votre enfant cette suite au récit de Petit Bourdon : l'insecte piqueur s'est lié d'amitié avec la Fleur des forces. Sur chaque pétale de la fleur, il a gravé l'une de ses forces à l'aide de son dard. Ainsi, chaque fois que Petit Bourdon visite son amie la fleur, elle lui rappelle toutes ses forces.

Description de l'outil

Proposez à votre enfant de dessiner une fleur et de noter sur les pétales les forces qui l'habitent. Invitez-le à afficher son dessin dans un endroit visible de la maison afin qu'il puisse s'en inspirer quand il tend à se dévaloriser. Le tableau de la page 53 pourrait lui être utile.

Votre enfant pourrait tout aussi bien dessiner un bouquet de fleurs, chaque fleur représentant une sphère importante de sa vie (école, maison, loisirs, etc.). Il pourrait inscrire sur les pétales les forces propres à chaque secteur de sa vie.

Si votre enfant a de la difficulté à dessiner ou à écrire, utilisez les illustrations offertes sur le cédérom ou faites vous-même les dessins dans lesquels vous noterez les propos de votre enfant.

Matériel

Des feuilles et des crayons de couleur

Les illustrations de fleurs offertes dans la section «Du matériel complémentaire » du cédérom

Contexte d'utilisation

 Idéal en toute occasion pour aider votre enfant à développer son estime de soi.

 Aucune restriction.

 Pour les enfants de sept ans et plus ou lorsque votre enfant comprend les notions de forces et de faiblesses.

Outil 18 : Le soleil et les nuages

Objectif

Développer la capacité de l'enfant à s'observer dans le but de miser sur ses réussites et d'éviter de répéter ses échecs.

Utilisation de la métaphore

Petit Bourdon adore le soleil. Non seulement l'astre du jour fait-il grandir les fleurs qu'il butine, mais il lui permet de faire le plein d'énergie et de réussir tout ce qu'il entreprend. Mais il y a parfois un nuage qui vient masquer sa lumière. Le soleil finit toujours par percer l'horizon pour revenir encourager Petit Bourdon. Souvent, Petit Bourdon imagine le soleil lui faire un clin d'œil et lui dire : «Quand on veut, on peut!»

Description de l'outil

Proposez à votre enfant de dessiner un soleil sur une première feuille puis un nuage sur une seconde feuille. Demandez-lui de noter ses bons coups de la journée ou de la semaine sur la première ; invitez-le à inscrire ses moins bons coups, pour la même période, sur la seconde. Si votre enfant a de la difficulté à dessiner ou à écrire, utilisez les illustrations offertes sur le cédérom ou faites vous-même les dessins dans lesquels vous noterez les propos de votre enfant. Servez-vous ensuite de ces dessins comme point de départ à une discussion au cours de laquelle vous aiderez votre enfant à distinguer les attitudes et les comportements gagnants par opposition aux attitudes et aux comportements perdants.

Matériel

Des feuilles et des crayons de couleur

Les illustrations de soleil et de nuage offertes dans la section « Du matériel complémentaire » du cédérom

Contexte d'utilisation

 Idéal en toute occasion pour aider votre enfant à développer son estime de soi.

 Aucune restriction.

 Pour les enfants de sept ans et plus ou lorsque votre enfant comprend les notions de forces et de faiblesses.

SECTION 4 : LES HABILETÉS COGNITIVES

(Développement des composantes cognitives)

 Attentix discute avec Graushou, le vieux sage du village d'Attentia.

 J'ai toujours hâte au festival d'Attentia pour découvrir les nouveaux jeux que tu proposes ! Dis-moi Graushou, aimes-tu toujours autant organiser cette grande fête dans notre village ?

J'adore ça, Attentix ! Toutes les disciplines de ce grand festival sont si stimulantes pour notre corps et notre cerveau. Chaque année, on ajoute des compétitions, car les participants s'améliorent constamment !

Graushou, comment puis-je me préparer pour le prochain festival ? J'aimerais tant pouvoir m'exercer dès aujourd'hui !

Je veux bien te dévoiler quelques secrets.

D'abord, prépare ta mémoire, car il s'agit d'un outil précieux pour relever bien des défis de la vie. La compétition « La chasse aux objets » demande d'ailleurs une bonne mémoire. Tu devras mémoriser une liste d'objets, avant de partir à leur recherche dans le village. Le gagnant est celui qui ramènera le plus grand nombre d'objets figurant sur la liste.

Tu peux aussi t'exercer à rester immobile. C'est parfois difficile de se concentrer assez pour ne pas bouger. Le jeu de la statue fait appel à cette compétence très utile aussi dans la vie quotidienne, à l'école comme à la maison. Pour gagner, il faut vraiment savoir maîtriser son corps et son esprit.

 Bien que je n'y parvienne pas toujours du premier coup, je suis très bon pour relaxer mon corps et l'arrêter de bouger ! Y a-t-il d'autres exercices que je puisse faire pour m'aider à contrôler encore mieux mon corps ?

 Tu peux toujours t'exercer à rester bien attentif aux messages que tes oreilles et tes yeux envoient à ton cerveau. Bien concentré sur ce que tu entends et ce que tu vois, tu pourras mieux décoder les consignes qui précisent ce que tu dois faire. Plus tu t'y exerceras, plus tu arriveras à décoder et à mémoriser des messages compliqués. Les jeux des codes secrets et de l'imitateur font appel à ce genre de compétences. Mais je ne t'en dis pas plus sur ce sujet.

Un dernier truc : si tu veux te mesurer à mon fidèle perroquet Biblio à la compétition «La Répétition», fais encore une fois travailler ta mémoire. Une mémoire en pleine forme est vraiment importante pour un bon joueur !

 Je ne l'oublierai jamais ! Tous tes secrets sont bien notés dans ma mémoire !

Éclats de rire

 Tu vois maintenant qu'il est possible de développer bien des habiletés tout en s'amusant. Comme Attentix, ne l'oublie jamais !

Outil 19 : La chasse aux objets

Objectif

Mémoriser plusieurs objets à la fois.

Utilisation de la métaphore

Invitez votre enfant à participer à la compétition « La chasse aux objets ». Présentez-lui une liste d'objets qui se trouvent dans la maison et demandez-lui de les mémoriser avant qu'il ne parte à leur recherche. Selon la quantité d'objets et la difficulté à les trouver, accordez un délai raisonnable à votre enfant ; cinq minutes peuvent suffire. Le temps n'étant pas un facteur déterminant pour cette activité, vous pouvez tout aussi bien décider de n'imposer aucune limite temporelle.

L'activité peut se faire seul en compagnie de votre enfant ou avec des membres de votre famille. Dans ce cas, le participant qui ramène le plus grand nombre d'objets remporte la compétition.

Description de l'outil

Invitez votre enfant à partir à la recherche des objets qu'il a mémorisés. Fournissez-lui des trucs pour qu'il se souvienne du plus grand nombre d'objets possible. Par exemple, vous pouvez lui suggérer de répéter les mots dans sa tête comme s'il écoutait un disque ou encore d'imaginer les objets dans sa tête. Votre enfant finira par trouver ses propres trucs.

La mise en pratique des outils d'Attentix

Matériel

Quelques objets de la maison

Contexte d'utilisation

 Idéal à faire en famille, à la maison, au chalet ou en camping.

 Se prête bien au moment d'effectuer des emplettes en compagnie de votre enfant, entre autres à l'épicerie.

 À éviter en présence d'un grand nombre de personnes, l'excitation nuisant à la mémorisation et à la concentration.

 À éviter lorsque votre enfant fait une commission pour rendre service à une autre personne que vous.

 Pour les enfants de six ans et plus.

Outil 20 : Le jeu de la statue

Objectif

Amener l'enfant à maîtriser son corps.

Utilisation de la métaphore

Invitez votre enfant à participer au jeu de la statue. Demandez-lui de se concentrer et de demeurer immobile le plus longtemps possible. L'activité peut se faire seul en compagnie de votre enfant et par la suite avec des membres de votre famille, des parents ou des amis. Le participant qui réussit à demeurer immobile le plus longtemps est couronné champion. Il faut toutefois s'assurer que l'enfant fasse bonne figure parmi le groupe afin qu'il ne se dévalorise pas.

Description de l'outil

Présentez le jeu de la statue à votre enfant. Dites-lui qu'il devra rester complètement immobile le plus longtemps possible, comme s'il était une statue. Dites-lui aussi que seuls le mouvement respiratoire et le battement des paupières seront tolérés. Chronométrez le temps que votre enfant parviendra à rester immobile. Montrez-vous un peu plus tolérant si votre enfant est très jeune de manière à ne pas le décourager.

Dès que votre enfant aura atteint une certaine maîtrise des mouvements de son corps, rendez-lui la tâche un peu plus difficile. Tentez de le distraire, de le déconcentrer ou de le faire rire, alors qu'il essaie de rester immobile. Idéalement, le jeu se fait en position assise. Il peut aussi se faire en position debout ou encore au garde-à-vous.

Matériel

Un chronomètre ou une horloge

Contexte d'utilisation

 Idéal à faire en famille ou seul en compagnie de votre enfant.

 Idéal pour calmer votre enfant avant le coucher.

 À éviter au lever, car votre enfant est frais, dispos et rempli d'énergie. Il peut être plus difficile pour lui de rester immobile.

 À éviter pour calmer votre enfant qui s'oppose à l'une de vos consignes. L'activité aurait pour effet d'augmenter sa frustration.

 Pour les enfants de six ans et plus.

Outil 21 : Le jeu des codes secrets

Objectif

Développer la concentration et le contrôle des impulsions.

Utilisation de la métaphore

Les habitants du village d'Attentia adorent participer au jeu des codes secrets ! Le maître de jeu effectue toutes sortes de mouvements (les codes secrets) aux-quels les participants doivent répondre correctement par un geste déterminé avant le début du jeu. Des juges observent la scène et éliminent du coup tout participant dans l'erreur.

Invitez votre enfant à participer au jeu des codes secrets. Ce sera pour lui une formidable occasion d'exercer sa mémoire et d'aiguiser son sens de l'observa-tion. Vous pourriez même, un peu plus tard, organiser un tournoi familial !

Description de l'outil

Le jeu des codes secrets consiste en un échange de stimulation/réponse entre vous et votre enfant. Par exemple, chaque fois que vous lèverez la main droite, votre enfant répondra au stimulus que vous lui lancez en tapant des mains à une reprise.

Assurez-vous que le premier code secret sera à ce point facile à comprendre que votre enfant le décodera à coup sûr. Par la suite, augmentez progressivement la difficulté de l'activité et la cadence. Assurez-vous toutefois que votre enfant vive au moins 8 réussites sur 10 tentatives.

Le tableau suivant fournit des exemples de codes secrets, soit les stimuli, et les mouvements, soit les réponses, que votre enfant devrait effectuer:

Codes secrets (stimuli)	Mouvements de l'enfant (réponses)
Lever la main droite	Taper des mains à une reprise
Lever la main gauche	Taper des mains à deux reprises
Lever les deux mains	Rester immobile

Choisissez les codes secrets dans l'ordre indiqué ou d'une façon aléatoire. Assurez-vous que votre enfant répond bien aux stimuli. N'hésitez pas à créer vos propres codes secrets, mais assurez-vous toujours que l'enfant vive du succès.

Le jeu des codes secrets constitue un bon exemple d'activité de quelques minutes tout au plus que vous pourrez répéter tous les deux ou trois jours.

Si votre enfant confond la gauche avec la droite, et vice versa, portez des gants de couleurs différentes. Il sera ainsi en mesure d'associer la droite à une première couleur et la gauche à une seconde couleur.

Matériel facultatif

Deux gants de couleurs différentes

Contexte d'utilisation

 Idéal à faire en famille ou seul en compagnie de votre enfant.

 Peut être intégrée quelques fois par semaine à la routine du matin, avant le départ pour l'école.

 À éviter avant le coucher, car le jeu pourrait augmenter inutilement l'activation physique et mentale de votre enfant.

 Pour les enfants de six ans et plus.

Outil 22 : L'imitateur

Objectif

Développer la mémoire auditive à court terme et la mémoire kinesthésique de l'enfant.

Utilisation de la métaphore

Invitez votre enfant à participer au jeu de l'imitateur, une autre épreuve du festival d'Attentia.

Description de l'outil

Expliquez en quoi consiste le jeu de l'imitateur. Dites à votre enfant qu'il devra exécuter les consignes que vous lui transmettrez. Assurez-vous qu'il comprend bien les règles du jeu.

À ce moment précis, invitez-le à garder le silence et à demeurer immobile. Ne prononcez les consignes qu'une seule fois et d'un seul trait. Demandez à votre enfant de les répéter dans sa tête, et non à voix haute. Voici un exemple de série de quatre consignes : Je croise les bras + je fais deux tours sur moi-même + je cogne un talon par terre + je me gratte le ventre.

À l'aide de deux petits objets que vous frapperez l'un contre l'autre, marquez la cadence que votre enfant devra respecter pour exécuter ses mouvements. Le rythme augmente la difficulté puisqu'il force votre enfant à contrôler la vitesse des réponses.

Assurez-vous aussi que la première série de consignes sera à ce point facile à exécuter que votre enfant la réussira à coup sûr. Par la suite, augmentez progressivement la difficulté de l'activité. Assurez-vous toutefois qu'il exécute correctement un minimum de 8 séries de consignes sur 10.

Matériel

Deux petits objets pour marquer le rythme

Les consignes offertes dans la section « Du matériel complémentaire » du cédérom

Contexte d'utilisation

 Idéal à faire en famille ou seul en compagnie de votre enfant.

 À éviter si vous disposez de moins de 15 minutes.

 Pour les enfants de huit ans et plus.

Outil 23 : Le jeu du perroquet

Objectif

Développer la mémoire auditive à court terme de l'enfant.

Utilisation de la métaphore

Invitez votre enfant à participer au jeu du perroquet. Expliquez-lui clairement les règles du jeu. Parlez-lui de Biblio, le perroquet savant de Graushou. Biblio a beaucoup de talents. Entre autres, il est capable de répéter de longues suites de mots, de chiffres et de lettres. Invitez votre enfant à se mesurer au perroquet savant!

Description de l'outil

Expliquez le but du jeu à votre enfant. Dites-lui qu'il devra mémoriser des suites de mots, de chiffres, de lettres ou de phrases que vous lui présenterez d'un seul trait et qu'il devra ensuite répéter. Chaque suite sera lue une seule fois, le but de l'activité consistant à mémoriser cette suite du premier coup. Dites à votre enfant qu'il aura l'occasion de réessayer si jamais il échouait.

Assurez-vous que votre enfant comprend bien l'esprit du jeu. Assurez-vous aussi que la première suite est à ce point facile à mémoriser qu'il la répétera à coup sûr. Par la suite, augmentez progressivement la difficulté de l'activité. Veillez à ce qu'il mémorise un minimum de 8 suites sur 10 afin de vivre du succès.

À l'aide de deux petits objets que vous frapperez l'un contre l'autre, marquez la cadence que votre enfant devra respecter: vous donnez un coup pour chaque élément de la suite que l'enfant doit répéter.

Matériel

Les séries de mots, de chiffres et de lettres offertes dans la section «Du matériel complémentaire» du cédérom

Contexte d'utilisation

 Idéal à faire en famille ou seul en compagnie de votre enfant.

 À éviter si vous disposez de moins de 15 minutes.

 Pour les enfants de huit ans et plus.

MÉTAPHORE *Tortal*

(Évaluation, observation et analyse d'une situation)

 Vois-tu la sympathique tortue géante qui vient vers toi? Dans l'île des Illusions, cette tortue est bien connue pour son bon jugement. Elle habite la grotte du secret du Temps.

 Je suis une tortue très détendue. Jamais je ne m'énerve quand il y a un problème. Je réussis toujours à trouver

une solution. Mon secret : j'ai appris à me relaxer, tout simplement. D'ailleurs, je répète souvent«Pourquoi courir?»

Mon cœur et mes pensées n'ont pas toujours été aussi décontractés. Avant, je n'arrivais pas à contrôler mes émotions et mes idées pour bien me calmer et me concentrer. Je perdais beaucoup de temps. Depuis que j'utilise des stratégies pour comprendre et analyser une situation, je ne me laisse plus étourdir par les apparences. J'utilise ma créativité pour trouver des solutions.

Parfois, je me sers d'une lunette d'approche qui me permet d'observer et d'analyser mon environnement. Cette stratégie me permet régulièrement de constater que la solution à un problème est souvent bien près de moi, même en moi! Lorsque j'emploie cette stratégie, je me dis dans ma tête«Qu'est-ce qui pourrait être utile dans mon environnement pour résoudre la situation? À qui pourrais-je demander de l'aide si cela s'avérait nécessaire?»

Je possède aussi une loupe pour grossir les détails. Bien que les détails soient petits, ils demeurent importants, et il ne faut pas oublier d'en tenir compte! Ma loupe me permet de me questionner : «Ai-je bien regardé? Ce renseignement peut m'être utile maintenant ou plus tard?»

Alors rappelle-toi : pourquoi courir? L'important est de bien observer et de se questionner !

 Comme Tortal, exerce-toi à te relaxer. Observer et se questionner, ça prend souvent moins de temps qu'il n'en faut pour s'énerver!

Outil 24 : La lunette d'approche

Objectif

Aider l'enfant à comprendre la nécessité de s'ouvrir aux autres, à observer, à se questionner et à demander de l'aide pour résoudre un problème.

Utilisation de la métaphore

Une lunette d'approche nous permet d'observer notre environnement. Comme dans la métaphore, ce précieux outil sert à déterminer les ressources qui contribueront à la résolution d'une situation problématique. La lunette d'approche permet aussi à quiconque l'utilise d'observer son environnement, de prévoir les difficultés potentielles et de trouver la solution à un problème.

Description de l'outil

Cette analogie encourage votre enfant à observer son environnement et à trouver les outils ou les personnes qui pourraient l'aider à résoudre une situation problématique.

Matériel

L'illustration de Tortal et de sa lunette d'approche offerte dans la section « Du matériel complémentaire » du cédérom

Contexte d'utilisation

 Idéal lorsque votre enfant fait face à une situation difficile, surtout quand il vous est impossible d'observer vous-même cette situation, comme si elle se produit à l'école par exemple.

 À faire en tout temps, notamment pour aiguiser la vigilance de votre enfant.

 À éviter si votre enfant tend à se sentir persécuté ou qu'il se montre trop anxieux, car l'observation attentive de l'environnement peut augmenter sa perception des sources de danger, et l'inquiéter, surtout pendant votre absence.

 Pour les enfants de six ans et plus.

Outil 25 : La loupe

Objectif

Développer l'observation systématique et la recherche des détails au moment d'analyser une situation.

Utilisation de la métaphore

Inspirez-vous de Tortal et demandez à votre enfant de se relaxer. Faites-lui part d'une situation problématique, puis invitez-le à observer et à analyser cette situation afin qu'il trouve une solution.

Description de l'outil

Cette analogie favorise l'observation systématique, le contrôle des émotions et la concentration. En scrutant à la loupe les détails d'une situation en vue de mieux la comprendre et l'analyser, votre enfant parviendra toujours à trouver des solutions. Il s'évitera aussi de tomber dans le piège des apparences.

Proposez à votre enfant d'observer un lieu, une personne ou un objet. Invitez-le à en décrire quelques détails que vous aurez définis au préalable, comme les couleurs d'un objet ou d'un vêtement. Par la suite, présentez-lui une situation problématique et proposez-lui d'en analyser les détails importants qui lui permettraient de trouver une solution.

Matériel

L'illustration de Tortal et de sa loupe offerte dans la section « Matériel complémentaire » du cédérom

Contexte d'utilisation

 Idéal à faire en famille ou seul en compagnie de votre enfant.

 Idéal aussi pour résoudre une situation problématique.

 À éviter quand votre enfant est en crise, car il serait incapable de se concentrer.

 Pour les enfants de sept ans et plus.

MÉTAPHORE *Le Livre d'or*

(Résolution de problèmes)

 Ton ami Attentix tient dans ses mains un merveilleux livre doré. Il t'expliquera pourquoi ce livre est si précieux.

 Graushou m'a prêté ce livre qui appartient depuis toujours aux sages de mon village. On l'appelle « Livre d'or », car il est rempli d'idées brillantes comme de l'or. On y trouve de bons trucs, des nouvelles connaissances et des stratégies utiles : le Livre d'or conserve toute cette information pour aider quiconque l'a en sa possession à ne rien oublier.

Graushou me l'a remis lorsque j'ai découvert le trésor de l'Attention. Il m'a demandé d'en prendre bien soin et de veiller sur lui. Depuis ce temps, ce livre est devenu mon fidèle compagnon.

 Les pages du Livre d'or sont couvertes de mots et d'images. Tu t'en doutes, ce livre n'est pas un ouvrage comme les autres. Si tu lui poses une question au bon moment, le Livre d'or peut proposer une bonne réponse très rapidement. Mais il ne peut pas donner toutes les réponses…

Ce n'est pas un magicien qui devine tout ! Ce livre connaît déjà des tonnes de choses et, chaque fois que j'apprends du nouveau, le Livre d'or ajoute l'information dans sa banque de solutions. Avec le temps, le contenu de ce précieux livre est de plus en plus riche !

Lorsque je serre le Livre d'or contre mon cœur et que je me concentre, il peut entendre la question que je lui pose. Il ramène alors à ma mémoire des explications, des indices ou d'autres renseignements utiles pour m'aider. Il me donne beaucoup d'idées, comme la stratégie de Pique-Assiette, la souris que j'ai connue au cours de l'une de mes aventures. Pique-Assiette a vraiment un gros appétit et elle manque tout le temps de fromage. Pour s'en procurer davantage, elle a pensé à une stratégie que le Livre d'or a retenue. La voici :

Stop ! Ne plus bouger pour bien définir le problème.

Voix d'Attentix qui imite une souris
Il n'y a plus de fromage !

Pause ! Penser à plusieurs solutions.

Voix d'Attentix qui imite une souris
Où puis-je en trouver ?

Attention ! Ouvrir les yeux et les oreilles pour bien observer.

Voix d'Attentix qui imite une souris
Je peux en voler à la cuisine cette nuit ou attendre que le chat fasse une sieste.

Action ! Choisir la meilleure solution et l'appliquer.

Voix d'Attentix qui imite une souris
Attendre la nuit !

Réaction ! Vérifier si la solution était bonne.

Voix d'Attentix qui imite une souris
Ça a marché, j'ai du fromage !

Tu peux voir que le Livre d'or est très utile à Attentix. Il y a bien d'autres choses intéressantes dans ce précieux bouquin, comme la boîte à idées. Avec Attentix, tu en apprendras sûrement davantage sur cet outil qui aide à trouver des solutions et à choisir la meilleure. Bonne chance!

Outil 26 : La résolution de problèmes

Objectif

Développer les habiletés liées au processus de résolution de problèmes.

Utilisation de la métaphore

Proposez à votre enfant de faire les cinq étapes de la stratégie de la souris Pique-Assiette afin de trouver des solutions et de résoudre divers problèmes.

Description de l'outil

Après avoir pris connaissance de la métaphore avec votre enfant, proposez-lui de mémoriser les étapes de la stratégie de la souris Pique-Assiette à l'aide des cinq illustrations offertes sur le cédérom. Chaque illustration représente une étape. Le tableau de la page suivante indique comment présenter ce matériel à votre enfant.

Étapes	Présentation
1 Stop! Ne plus bouger pour bien cerner le problème.	Expliquez à votre enfant l'importance de prendre une pause avant d'agir. Il est essentiel de s'arrêter et de se demander « Quel est le problème ? » pour résoudre celui-ci le mieux possible. Il est inutile de s'énerver et de passer à l'action trop vite.
2 Attention! Ouvrir les yeux et les oreilles pour bien observer.	Sensibilisez votre enfant au fait qu'il doit être alerte pour trouver des solutions. En observant son environnement, aussi bien le monde qui l'entoure que son monde intérieur, il pourra sûrement trouver plusieurs pistes de solution. Si vous avez déjà abordé la métaphore de Tortal, vous pouvez ici faire référence à la loupe.
3 Pause! Songer à plusieurs solutions.	Invitez votre enfant à dresser une liste des solutions possibles et à réfléchir aux avantages et aux inconvénients de chacune.
4 Action! Choisir la meilleure solution et l'appliquer.	Votre enfant doit choisir la meilleure solution, selon lui, et passer à l'action. Discutez de la question avec lui pour l'aider à développer son raisonnement.
5 Réaction! Vérifier si la solution était bonne.	La solution retenue a-t-elle résolu le problème? Votre enfant doit répondre à cette question pour exercer son jugement. Aidez-le à bien évaluer toutes les répercussions de la solution qu'il a retenue. Au besoin, incitez votre enfant à reprendre la troisième étape de la stratégie de la souris Pique-Assiette. Une solution qui n'est pas complètement adaptée à un problème n'est pas mauvaise en soi; seulement, il en existe sans doute une autre qui serait meilleure. Votre enfant ne doit pas vivre l'expérience comme un échec, bien au contraire! Il doit profiter de cette stratégie pour progresser, tout comme Attentix. Vous pouvez ici faire référence à vos expériences personnelles ou encore à des situations ou à des découvertes importantes qui sont survenues à la suite d'erreurs.

Matériel

Les illustrations offertes dans la section « Du matériel complémentaire » du cédérom

Contexte d'utilisation

 Utile dans la plupart des situations où votre enfant doit résoudre un problème, notamment quand il dispose d'un peu de temps pour y réfléchir.

À éviter lorsque votre enfant est très agité, voire en état de crise. Il est fortement recommandé que vous l'aidiez à retrouver son calme d'abord.

 L'enfant qui manifeste un comportement d'opposition répond moins bien à cette stratégie.

 Pour les enfants de sept ans et plus.

Outil 27 : La boîte à idées

Objectif

Inciter l'enfant à trouver des solutions à un problème.

Utilisation de la métaphore

La boîte à idées est un outil qui correspond à la troisième étape de la démarche de Pique-Assiette, soit celle où l'enfant réfléchit à diverses solutions possibles.

Description de l'outil

Lorsque votre enfant fait face à un problème et qu'il ignore comment le résoudre ou encore lorsqu'il se pose une question sans trouver de réponse satisfaisante, proposez-lui de faire appel à une boîte à idées. Cet outil peut aussi favoriser la réflexion de l'enfant qui considère seulement la première solution qui lui vient spontanément à l'esprit.

Demandez à votre enfant de réfléchir à un minimum de trois solutions, puis de les écrire sur des bouts de papier qu'il déposera dans un contenant de votre choix qui servira de boîte à idées. Vous pourriez également lui proposer de déposer dans la boîte le plus grand nombre possible de solutions en un temps prédéterminé. Ensuite, votre enfant reprendra les idées une à une pour se questionner sur les avantages et les inconvénients de chacune. Enfin, votre enfant choisira la solution qui lui semble la plus appropriée et il devra vous expliquer son raisonnement.

Matériel

Un contenant de votre choix, idéalement décoré par votre enfant

Contexte d'utilisation

 Idéal dans toutes les situations où votre enfant doit résoudre une difficulté.

 Activité supplémentaire utile quand l'enfant ne semble pas avoir trouvé la meilleure solution ou qu'il est préférable d'en chercher d'autres.

À éviter quand le comportement de votre enfant s'avère incontrôlable ; opter plutôt pour un retour au calme avant de faire appel à cet outil.

 À éviter lorsque votre enfant manifeste un comportement d'opposition.

 Pour les enfants de sept ans et plus.

MÉTAPHORE *Le secret de Colombe messagère*

(Stratégies mnémotechniques[22])

 Ce matin-là, quand Attentix vient trouver Arbremagique, l'arbre est tout énervé. Par terre, près de lui, un bel oiseau blanc semble avoir une aile brisée.

 Colombe messagère et moi, nous avions hâte que tu arrives. Colombe messagère est une vieille amie à moi. Hier, elle est venue me voir avec son enfant, qui venait juste d'apprendre à voler, lorsqu'un vent violent a commencé à souffler.

 Nous étions tout près d'ici quand le vent m'a séparée de mon enfant. J'ai vu le vent qui l'entraînait au loin. J'ai moi-même été projetée contre le tronc d'Arbremagique par un violent coup de vent. Je me suis blessée. Je ne suis plus capable de voler et j'ai perdu mon enfant. C'est un petit oiseau qui me ressemble beaucoup. Il chante comme moi.

 Ne vous en faites pas, je vais retrouver votre petit. Je vais utiliser mes yeux, mes oreilles et toute ma concentration ! Comme un bon guetteur, je vais chercher des indices pour le retrouver.

 Attentix s'éloigne un peu.

 D'abord, je regarde tout autour et j'écoute. J'observe attentivement. Dans ma tête, je vois à quoi ressemble l'oisillon et j'entends son chant. Je me concentre bien.

---

22. Il s'agit de trucs et de moyens qui aident à mieux retenir ce qu'on apprend.

Inutile de regarder les arbres ou d'écouter les autres sons. Il me suffit de rester concentré sur ce que je cherche et de ne pas accorder d'importance aux autres choses.

 Attentix ne marche que depuis quelques minutes lorsqu'il croit entendre le chant de l'oisillon. Il tend l'oreille et se concentre.

 Oui, oui, je crois que c'est lui. Je vais le repérer au son de son chant. Je sens que je m'approche. Oui, oui, je l'entends clairement. Le son semble venir d'un arbre tombé. Oisillon, es-tu là?

 Par ici, par ici.

 Attentix s'approche et voit l'oisillon blanc, mais une grosse branche retient le petit au sol. Attentix la soulève et l'oisillon s'envole en criant sa joie d'être libre.

 Hourra! Je suis libre.

 Viens, je vais te ramener à ta mère.

 Tout joyeux, Oisillon tournoie autour d'Attentix, puis se pose sur son épaule. Quelques minutes plus tard, ils arrivent tous deux près d'Arbremagique. Colombe messagère déborde de joie en revoyant son enfant.

 Je savais, Attentix, que tu le retrouverais. Tu es un bon guetteur. Tu es capable d'observer et d'écouter avec attention.

 Merci, Attentix, d'avoir retrouvé mon oisillon! Tu sais, les colombes messagères ont un don: elles savent quand une personne est capable de se concentrer très très fort. Je sens chez toi une grande attention et chaque fois que je perçois une si belle attention, je livre mon message. C'est un secret que je dévoile. Le voici: pour être attentif, il faut vouloir se concentrer. Tu as découvert le secret de l'Attention. Tu dois toujours être actif dans ta tête. Grâce à cette découverte, tu es maintenant maître de ton attention.

Tu vois, Attentix, tu as trouvé Oisillon parce que ton attention était très grande.

 Je suis content. Je sais maintenant comment être actif dans ma tête.

 Crois-tu que le secret de Colombe messagère va te servir ?

Bien sûr, je vois déjà comment je vais utiliser son secret. Je vais écouter et observer attentivement. Comme un bon guetteur, je vais chercher des indices. Cela va m'aider à trouver le pays de l'Attention.

Outil 28 : Les associations d'idées

Objectif

Favoriser l'intégration et la mise en application d'étapes à exécuter ou d'éléments à mémoriser.

Utilisation de la métaphore

Dans sa recherche, Attentix s'est surtout concentré sur le chant de l'oisillon pour le retrouver. Mais il aurait très bien pu faire appel à sa mémoire pour se rappeler la couleur et la taille du petit oiseau, ainsi qu'à d'autres indices pertinents. Pour se souvenir qu'il recherchait un oiseau blanc, Attentix aurait pu associer la blancheur du plumage de l'oisillon avec celle des nuages parmi lesquels volent les oiseaux. Le truc : associer deux choses pour favoriser la mémorisation d'un élément important. Cette association qui marque l'imaginaire est souvent plus susceptible d'être retenue.

Description de l'outil

Votre enfant doit associer une chose plutôt difficile à mémoriser avec une autre plus concrète. Cette association, qui joue le rôle d'un déclencheur, aura pour effet de réactiver l'information au moment opportun. Par exemple, votre enfant pourrait se dire : « J'ai cinq choses à faire le matin ; c'est comme les cinq doigts de la main. »

Trouvez d'autres exemples d'associations qui auraient pu être utiles à Attentix pour retrouver l'oisillon. Pour habituer votre enfant à effectuer de telles associations, inspirez-vous de la stratégie de Colombe messagère :

    » J'utilise le guetteur en moi

    » Je suis actif dans ma tête

    » Je me crée des images

    » Je me parle de ces images

Matériel

Aucun

Contexte d'utilisation

 Idéal pour la mémorisation de routines.

 Idéal pour faciliter l'acquisition de connaissances diverses, dans un contexte scolaire ou autre.

 Aucune restriction.

 Pour les enfants de six ans et plus.

SECTION 5 : L'ENCADREMENT

MÉTAPHORE *Arbremagique*

(Autodiscipline)

 Attentix, sais-tu pourquoi on m'appelle Arbremagique ?

 Hum… Je sais que tu es un vieil arbre très spécial… Mais j'aimerais bien connaître ton histoire ! Raconte-moi pourquoi on t'a nommé ainsi.

 Il y a de cela bien des années, alors que je dormais pour l'hiver, une grosse tempête a ravagé la forêt. Lorsque je me suis réveillé au printemps, j'avais un terrible mal de racines. Je ne comprenais pas ce qui m'arrivait. Ce que j'ai vu en ouvrant les yeux m'a terrifié : tous les arbres autour de moi étaient blessés. J'avais moi-même plusieurs branches brisées, une grande blessure sur mon tronc et mes racines étaient un peu sorties de terre. Seulement deux ou trois de mes bourgeons se préparaient à éclore. J'étais dans un bien piteux état.

 Tu as dû avoir très peur !

 Ah oui ! Surtout que j'étais sans nouvelles des nombreux animaux de la forêt qui vivent d'habitude dans mes branches et mes racines. Je m'inquiétais. Je ne voyais ni l'oiseau ni l'écureuil. Le terrier du lièvre était vide. Tout à coup, un renard est passé près de moi. Il portait un baluchon, comme s'il entreprenait un long voyage. « Hé ! le renard, où sont donc tous les animaux de la forêt ? Je ne vois mes amis nulle part… »

 Ils sont tous partis se chercher une maison ailleurs… Et moi aussi, je m'en vais. Ici, les arbres sont trop mal en point. Nous avons besoin d'arbres solides pour nous abriter et nous nourrir. Les animaux ne peuvent pas vivre dans ces conditions. Salut !

 Le renard s'en allait lui aussi… Je ne voulais pas perdre mes amis. J'ai vite compris que si je voulais les revoir, il me fallait me prendre en main pour redevenir un arbre vigoureux.

 Mais tu n'y pouvais rien… Tu ne pouvais que te laisser pousser.

 C'est ce que tu crois ! Il y a des choses que je pouvais faire pour m'assurer que tout aille bien. Je devais voir à mettre mes énergies aux bons endroits.

D'abord, je me suis calmé. Ça ne servait à rien de paniquer. Puis, j'ai observé avec attention dans quel état j'étais. Je me suis ensuite demandé par où je devais commencer. Il y avait tellement de choses à faire ! J'ai réfléchi et j'ai dressé un plan. Ça n'allait pas être facile !

Au début, j'ai enfoncé mes racines profondément dans le sol pour aller chercher de l'eau et de la nourriture. Ça m'a donné des forces pour retenir un peu ma sève, qui s'écoulait par mes blessures. Il me fallait fermer mes plaies avant de régler la circulation de la sève dans mes branches. Puis je me suis concentré sur la fabrication de mes bourgeons. Je devais les nourrir pour qu'ils fassent de grosses feuilles.

Comme je commençais à produire de nouvelles branches pour remplacer celles qui étaient brisées, une marmotte de passage dans le coin s'est arrêtée net devant moi.

 Comme tu es grand et fort ! Je suis impressionnée ! Toute la forêt est encore sous le choc de la tempête et toi, tu es vert et bien feuillu ! C'est magique ! Je vais aller avertir les autres animaux de ton succès !

J'aurais bien voulu lui expliquer mon histoire, mais la marmotte était déjà loin! Tu sais, Attentix, j'avais tellement hâte d'offrir de nouveau une maison à mes amis les animaux! J'ai simplement travaillé avec méthode pour redevenir un bon abri pour eux. Grâce à mes efforts disciplinés, j'y suis arrivé.

 Alors les oiseaux, les lièvres, les écureuils et tous les autres sont revenus vers toi?

 Oui. La marmotte leur a dit qu'un arbre magique avait vaincu la tempête. Lorsque mes amis sont revenus, ils étaient heureux de me revoir. Bien sûr, il me restait quelques branches à remplacer, mais ils m'ont félicité pour tous les efforts disciplinés que j'avais faits jusqu'à maintenant. Depuis, on m'appelle Arbremagique en souvenir de cette aventure.

 Je comprends maintenant l'importance d'avoir de la discipline. Ça t'a permis d'offrir de nouveau un bon milieu de vie à tous les animaux de la forêt.

 Et toi, Attentix, tu peux aussi utiliser la discipline dans ta vie. Sais-tu comment?

 Bien sûr! Je peux utiliser la discipline pour mieux chasser ou pêcher, par exemple. Mais aussi, je vais apprendre à mettre de la discipline dans ma tête. Cela m'aidera à arriver au pays de l'Attention.

 Attentix et Arbremagique continuent leur discussion jusqu'au coucher du soleil. Ce soir-là, Attentix couche à la belle étoile, au pied d'Arbremagique. Il rêve toute la nuit au pays de l'Attention et à la discipline qu'il va mettre dans l'organisation de son voyage. Faites de beaux rêves, les amis!

Outil 29 : Atteindre son objectif

Objectif

Intégrer une routine favorisant l'autodiscipline.

Utilisation de la métaphore

Après la tempête, Arbremagique voulait s'assurer de redevenir un habitat accueillant pour ses amis les animaux. Il a dû faire preuve d'une grande discipline et d'une bonne organisation pour atteindre son objectif. Votre enfant pourra appliquer les stratégies du vieil arbre dans sa vie personnelle.

Description de l'outil

Quel défi votre enfant pourrait-il tenter de relever sur le plan du comportement? Réfléchissez à cette question en sa compagnie. Ensemble, définissez clairement l'objectif visé. Autrement dit, précisez en termes clairs le résultat que vous devrez observer pour affirmer que le défi est bien relevé. Enfin, proposez à votre enfant de faire appel à la stratégie d'Arbremagique pour définir les étapes qui lui permettront d'atteindre son but. Voici un rappel de cette stratégie:

> » Je mets de la discipline dans ma tête
> » Je me détends (je reste calme)
> » J'observe (tout ce qui peut m'aider à atteindre mon objectif)
> » Je m'interroge sur ce que je dois faire (je fais un plan)
> » Je passe à l'action (je suis mon plan étape par étape)

Matériel

Aucun

Contexte d'utilisation

 Idéal pour atteindre divers types d'objectifs. Voici quelques exemples: se maîtriser dans telle situation; utiliser un processus de résolution de problèmes; respecter son horaire; respecter une liste de priorités, etc.

 Utile lorsque l'objectif est bien défini, c'est-à-dire facilement observable, voire mesurable. Autrement, la stratégie pourrait ne pas être aussi profitable.

 À éviter quand les défis envisagés s'avèrent impossibles (toujours se maîtriser, dès aujourd'hui), imprécis (être gentil), dont le but est lointain (être sage à Noël l'an prochain) ou dont l'objectif se révèle trop abstrait pour l'enfant (s'épanouir).

 Pour les enfants de sept ans et plus.

(Intégration du contrôle interne par des signes externes)

Retrouve Attentix, qui discute avec les Vavevivoitout, des joueurs de tours qui habitent un village voisin d'Attentia.

Bonjour à vous, les Vavevivoitout! Êtes-vous en train de me jouer un tour encore une fois? Je n'ai pas vu vos lèvres bouger et pourtant vous semblez vous parler.

Petit rire

C'est que nous communiquons par nos pensées. Quand j'ai un message à transmettre à un autre Vavevivoitout, je fais des petits sons avec ma gorge. C'est un signe que je suis en train de discuter avec mon ami, mais tu ne peux pas savoir ce que je lui dis. De plus, quand les Vavevivoitout parlent à voix haute…

… un premier commence à parler, et…

… c'est un autre qui peut continuer pour dire que…

… nous aimons bien utiliser des gestes codés pour discuter entre nous ou avec nos complices, comme toi Attentix. C'est pratique lorsque nous sommes dans une situation où on doit rester silencieux ou encore pour passer un message secret à un ami ou à un complice.

Voulez-vous m'apprendre quelques gestes codés?

Certainement! Concentre-toi bien. Si tu es distrait ou dérangé, tu pourrais commettre des erreurs pour reconnaître les gestes codés et le message n'aurait pas de sens.

Ce qui est très important aussi, c'est de commencer la communication par un contact visuel. Regarde ton complice dans les yeux et par un geste du doigt indique-lui que tu veux lui transmettre un message. C'est le premier code à retenir.

Un autre code consiste à montrer la paume de ta main en la tenant bien droite devant toi. Ce geste indique d'arrêter et d'attendre un peu car le moment n'est pas bien choisi pour communiquer. Par exemple, si un complice veut te parler, mais que tu discutes déjà avec moi, tu lui fais le signe et il attendra son tour.

 Il y a aussi le geste super secret, pour donner un avertissement sans mettre ton complice mal à l'aise devant d'autres gens. Généralement, ce geste est connu seulement par les deux ou trois personnes qui l'ont choisi ensemble. Par exemple, si ton complice fais quelque chose d'interdit ou qu'il a un mauvais comportement, il pourrait être puni. Grâce à un geste super secret, tu peux l'avertir qu'il devrait arrêter. Ton complice sera le seul à avoir compris le message. Génial, n'est-ce pas?

 J'y pense, je connais aussi un geste codé! À la maison, lorsque je ne respecte pas un règlement que j'ai établi avec mes parents, ma mère ou mon père lève un doigt pour m'indiquer d'arrêter. Si je continue, il lève un deuxième doigt et me rappelle gentiment la règle à suivre. Si j'ai le malheur de continuer, il lève un troisième doigt. Ce code signifie qu'une conséquence s'en vient et que je ne peux plus passer à côté d'une punition. On appelle cette stratégie« 1, 2, 3… Conséquence!»

 Les Vavevivoitout ont été bien surpris d'apprendre qu'Attentix connaissait aussi des gestes codés. Et toi, sais-tu communiquer par des gestes? Utilise ceux que tu viens d'apprendre ou encore inventes-en de nouveaux avec tes parents. Parfois, un petit geste suffit pour mieux se comprendre.

Outil 30 : Le contact visuel

Objectif
Établir un contact visuel.

Utilisation de la métaphore
Établir un contact visuel avec votre enfant vous permet d'obtenir son attention. Ses chances de vous comprendre s'avéreront donc meilleures.

Description de l'outil
Si votre enfant ne semble pas vous écouter quand vous lui parlez, attirez son attention. Pour ce faire, présentez-lui votre index et votre majeur positionnés en forme de« V» à la hauteur des yeux. Bougez ensuite vos doigts dans cette position à la hauteur de vos yeux et exercez un mouvement de va-et-vient entre

le regard de votre enfant et le vôtre. Ce geste devrait diriger son attention vers vous. Vous pourrez alors lui parler en souhaitant qu'il restera attentif.

Matériel

Aucun

Contexte d'utilisation

 Idéal lorsque votre enfant est turbulent et n'est plus attentif aux consignes. Ce simple geste peut s'avérer suffisant pour le rappeler à l'ordre.

 Idéal pour capter l'attention de votre enfant dans un endroit qui regorge de stimuli.

 Aucune restriction.

 Pour les enfants de tous âges.

Outil 31 : La paume de la main

Objectif

Faire prendre conscience à l'enfant qu'il y a de meilleurs moments que d'autres pour passer à l'action.

Utilisation de la métaphore

L'exemple des Vavevivoitout permet à votre enfant de bien comprendre que le moment est parfois mal choisi pour agir. Un geste codé (signe non verbal) constitue donc un indice visuel qui contribue à la communication.

Description de l'outil

Lorsque votre enfant intervient à un moment inopportun, par exemple lorsque vous parlez au téléphone, montrez-lui la paume de votre main. Tenez-la bien droite devant lui et regardez-le dans les yeux. Pour autant que vous lui ayez préalablement expliqué la signification de ce signe non verbal, votre enfant comprendra qu'il doit cesser de solliciter votre attention et attendre quelque peu. Cette technique vous évitera d'argumenter inutilement avec lui.

Il est possible que votre enfant désire aussi faire appel à cette technique pour vous signifier qu'il veut terminer une tâche avant d'être à votre disposition. C'est un signe qu'il a bien intégré la stratégie et qu'il peut la mettre en pratique. Vous pouvez être fier de lui ! Cependant, assurez-vous d'établir dès le départ des règles d'utilisation bien définies afin d'éviter que l'outil ne se retourne contre vous !

Matériel

Aucun

Contexte d'utilisation

Idéal lorsque vous êtes dans une situation où il vous est impossible d'interrompre une tâche et de dire à votre enfant que le moment est mal choisi, par exemple lorsque vous avez une conversation importante ou que vous êtes au téléphone, en train d'écrire ou de travailler.

Idéal pour éviter de hausser le ton ; idéal aussi en présence d'un certain nombre de personnes lorsque vous ne voulez pas parler.

À éviter lorsque vous n'avez pas capté l'attention de votre enfant.

À éviter lorsque votre enfant est trop énervé ou encore en colère.

Pour les enfants de tous âges.

Outil 32 : Le signe super secret

Objectif

Faire arrêter un comportement dérangeant particulier.

Utilisation de la métaphore

La métaphore favorise les avertissements discrets, afin de préserver l'estime de soi de votre enfant. La discrétion évite en effet de mettre votre enfant mal à l'aise devant son entourage. La présentation du signe super secret encourage la compréhension et le développement de ce type d'intervention.

Description de l'outil

Quel comportement est susceptible de nuire à la vie en collectivité de votre enfant ? Après avoir répondu à cette question, proposez à votre jeune d'établir un signe super secret entre vous et lui pour le sensibiliser à ce comportement et pour qu'il cesse de l'afficher. Par exemple, faites-lui un clin d'œil, pointez une image, claquez des doigts, mettez-lui la main sur l'épaule, etc. Au besoin, exécutez le signe super secret afin de signaler à votre enfant qu'il doit cesser d'afficher ce comportement.

Matériel

Aucun

Contexte d'utilisation

 Idéal lorsque l'enfant affiche un comportement inapproprié comme se mettre le doigt dans le nez, couper la parole, etc.

 À éviter si vous n'avez pas l'attention de votre enfant.

 Pour les enfants de tous âges.

Outil 33 : 1, 2, 3... Conséquence !

Objectif

Amener l'enfant à respecter un règlement ou une consigne.

Utilisation de la métaphore

Cet outil envoie un signal clair à l'enfant : il doit agir pour éviter de subir les conséquences de son comportement. Attentix et ses parents pratiquent cette méthode avec succès.

Description de l'outil

Lorsque votre enfant ne respecte pas un règlement ou une consigne, par exemple quand il refuse de ranger ses jouets, levez un doigt pour lui indiquer d'obtempérer. Assurez-vous qu'il a bien vu votre geste. Ce code constitue un premier avertissement. Selon les circonstances, laissez quelques secondes ou quelques minutes à votre enfant pour qu'il s'exécute.

Si votre enfant n'obtempère toujours pas, levez un deuxième doigt en guise d'avertissement. Rappelez-lui gentiment la règle à suivre et la conséquence qu'il devra subir s'il se refuse toujours à agir. Il est souhaitable d'avoir établi au préalable les conséquences avec votre enfant, qui saura donc déjà à quoi s'attendre.

Après quelques instants, levez un troisième doigt. Ce troisième avertissement signale que la conséquence est inévitable. Pour assurer le succès de la stratégie, il importe que vous fassiez subir la conséquence sans discuter ni négocier avec votre enfant.

Matériel

Aucun

Contexte d'utilisation

 Idéal lorsque votre enfant s'oppose à un règlement ou une consigne. L'utilisation systématique de conséquences prédéterminées indique à l'enfant qu'il est responsable de ses comportements et que vous êtes en contrôle de la discipline.

Idéal quand votre enfant doit réaliser un travail ou une tâche simple.

 Permet de gérer les situations de crise où l'enfant est en colère et où le dialogue ne serait d'aucun secours.

 Évitez d'abuser de cette stratégie, car elle pourrait finir par oppresser votre enfant et créer inutilement de la frustration.

Pour les enfants de tous âges.

MÉTAPHORE *Zouzou à l'école*

(Stratégies de soutien scolaire)

 Colombe messagère a bien hâte de retrouver son oisillon, Zouzou, qui vient de vivre sa première journée d'école.

 Alors Zouzou, comment as-tu aimé ta première journée dans la classe de Houhou le hibou?

 J'ai bien aimé ça, maman! Je me suis fait beaucoup de nouveaux amis et j'ai appris comment lire des lettres.

 Je suis contente que cette journée se soit bien déroulée. À l'école, tu peux toujours t'amuser à découvrir de nouvelles choses, bien que ce soit parfois difficile. Avec de l'aide et du soutien, tu verras comme c'est chouette!

 Qui m'aidera, maman?

 Monsieur Houhou et les autres adultes de l'école le feront; tes amis aussi parfois. Et moi, lorsque tu reviendras à la maison, je serai là pour te donner mon soutien. J'ai d'ailleurs déjà deux outils de travail à te proposer. Cette belle trousse est pour toi. Elle contient plusieurs articles nécessaires pour faire tes devoirs, dont des crayons, une règle et un petit dictionnaire illustré. Nous la garderons à la maison. Si tu oublies certains articles à l'école, tu pourras alors te dépanner avec ta trousse pour faire tes devoirs et tes leçons.
Je veux aussi te proposer d'utiliser un messager.

Un messager ? Tu veux dire une colombe messagère comme toi, maman ?

Rire de Colombe
C'est presque ça, mon petit Zouzou ! Le messager me permettra de transmettre un message à ton enseignant et de recevoir sa réponse.

Monsieur Houhou et moi pourrons mieux t'aider à apprendre si nous sommes tous les deux au courant de tes progrès. Quand une situation devra être corrigée, je le saurai également.

Pour l'instant, c'est pour toi que j'ai un beau message, mon Zouzou d'amour : un bon gâteau aux graines sucrées t'attend dans la cuisine pour célébrer ta rentrée à l'école !

Zouzou s'envole de joie, car il peut compter sur les adultes autour de lui et sur de bons outils pour l'aider à réussir à l'école. Alors que Zouzou dévore un morceau de gâteau, il a déjà hâte à demain pour retrouver monsieur Houhou.

Outil 34 : La trousse de dépannage

Objectif

Pallier les oublis de matériel.

Utilisation de la métaphore

Tout comme Colombe messagère, donnez-vous des moyens pour faciliter la période des devoirs et des leçons de votre enfant. Une trousse de dépannage peut se révéler fort utile.

Description de l'outil

Gardez à la maison un double des fournitures dont votre enfant a généralement besoin pour faire ses devoirs : crayons, règle, gomme à effacer, crayons de couleur, etc. Si votre enfant se montre particulièrement inattentif, il peut être souhaitable d'ajouter à sa trousse un exemplaire de certains manuels scolaires qu'il est susceptible d'oublier à l'école. Cette trousse de dépannage évite les tensions familiales inutiles et diminue la pression que subit votre enfant au moment de préparer son sac d'école. Plus tard, il serait souhaitable de jumeler cette trousse avec une autre stratégie l'aidant à s'organiser. Cette combinaison permettra à votre enfant d'acquérir une plus grande autonomie dans la préparation de ses effets personnels.

Matériel

Des fournitures scolaires

Contexte d'utilisation

 Idéal quand l'enfant se montre très peu autonome dans la préparation de ses effets personnels.

 Idéal pour soutenir les progrès de l'enfant qui désire développer ses habiletés attentionnelles, mais qui n'a pas encore assez de compétence pour penser à tout ce dont il a besoin pour effectuer ses travaux.

 Idéal pour l'enfant qui fait mine d'oublier son matériel pour éviter de faire ses devoirs.

 Aucune restriction.

 Pour les enfants de six ans et plus.

Outil 35 : Le messager

Objectif

Permettre une bonne communication entre l'enseignant et vous.

Utilisation de la métaphore

Le messager proposé dans la métaphore constitue un moyen de communication très efficace qui favorise les apprentissages et qui facilite la vie de votre enfant à l'école. Bien informé, chacun est davantage apte à intervenir convenablement auprès de l'enfant.

Description de l'outil

Prévoir une pochette ou un petit calepin destiné à la consignation des messages entre l'enseignant et vous. Cet outil de communication permet d'échanger sur les faits qui marquent la vie de votre enfant, aussi bien à l'école qu'à la maison.

Certaines écoles font appel à un agenda scolaire pour noter les messages. Le messager devrait être à part de l'agenda, surtout lorsque l'enfant récolte un très grand nombre de commentaires négatifs. L'agenda devrait être destiné aux communications touchant les travaux de votre enfant ou l'organisation de la vie en classe. Le messager constitue un outil de travail constructif qui facilite le suivi d'une démarche concertée enseignant/parents. Discutez-en avec l'enseignant de votre enfant.

Il importe d'impliquer votre enfant dans l'utilisation de son messager et de bien lui expliquer son utilité. Pour lui, ce doit être quelque chose de positif.

Matériel

Pochette ou calepin

Contexte d'utilisation

 Idéal pour tous les enfants, y compris ceux qui affichent des problèmes de comportement.

 Idéal lorsque vous souhaitez communiquer avec l'enseignant sur une base quotidienne.

 À éviter lorsqu'un système de commentaires sur les travaux est déjà en place à l'école afin de ne pas dupliquer les outils et ainsi confondre l'enfant.

 Pour les enfants de six ans et plus.

MÉTAPHORE *Tempo*

(Gestion du temps)

 Depuis le début de la matinée, Attentix est à la recherche de Tempo, le maître du temps du village d'Attentia. Tout à coup, Attentix le repère et s'approche de lui. Il a une question importante à lui poser.

 Bonjour Tempo ! Dis-moi, peux-tu m'expliquer le temps ? Pas le temps qu'il fait dehors, non, non. Le temps qui passe et qu'on perd parfois à paresser.

 C'est une question bien compliquée que tu me poses là, Attentix ! Souvent, les gens comptent le temps en secondes qui s'accumulent en minutes puis en heures. Les heures forment des jours, des mois puis des années. Mais il n'y a pas que cette façon de définir le temps.

En fait, la notion du temps n'est pas la même pour tout le monde. Par exemple, tu peux trouver le temps long lorsque tu t'ennuies, alors que le temps passe plus vite quand tu t'amuses. Le temps d'un battement d'aile de papillon est rapide, mais il est lent lorsqu'on le compare au battement d'aile d'un colibri.

Moi, je manque souvent de temps pour faire tout ce que j'aimerais accomplir! Toi qui es spécialiste du sujet, quels moyens as-tu trouvés pour mieux comprendre le temps?

 D'abord, j'observe la nature, car elle nous fournit plusieurs indices pour parler du temps. Par exemple, pour la majorité des gens, lorsque le soleil se couche, c'est un indice qu'il est temps d'aller dormir. À la campagne, quand la neige fond au printemps, c'est que le temps des semences est arrivé. Et si ton ventre gargouille trop fort, c'est qu'il est temps d'aller manger!

Souvent très utiles, des sabliers permettent de prendre conscience du temps qui passe. Par exemple, Graushou détermine la durée des compétitions du festival d'Attentia à l'aide d'un sablier. Monsieur Houhou indique à ses élèves le temps alloué pour un exercice au moyen de cet instrument. Colombe messagère utilise aussi un sablier pour faire savoir à son petit Zouzou qu'il reste peu de temps pour ranger ses jouets.

 J'aimerais t'écouter encore Tempo, mais le temps est venu pour moi de partir. Merci beaucoup pour toutes ces explications. Je sais maintenant reconnaître les indices du temps qui passe. Je vais me procurer un sablier pour m'aider à apprivoiser le temps.

 Attentix salue Tempo avant de repartir à la recherche du trésor de l'Attention. Le jeune aventurier finira-t-il par atteindre son but? Tu verras, ce n'est qu'une question de temps!

Outil 36 : Le sablier

Objectif

Aider l'enfant à gérer le temps et à augmenter sa rapidité d'exécution.

Utilisation de la métaphore

Les sabliers de Tempo font référence aux calendriers, aux horloges et aux montres de la vie moderne. Profitez de ce parallèle pour discuter avec votre enfant des moyens dont nous disposons pour mesurer le temps. Demandez-lui de trouver des occasions où il serait utile de savoir observer le temps qui passe, par exemple pour connaître l'heure d'aller au lit, et l'heure du jeu ou de la réflexion.

Description de l'outil

Pour que votre enfant prenne conscience du temps qui passe, fixez-lui une limite de temps pour exécuter une tâche ou une activité. À l'aide d'un chronomètre, d'une montre, d'une horloge ou d'un sablier, indiquez-lui le temps dont il dispose. Votre enfant doit respecter le délai déterminé, sans quoi il pourrait redouter une conséquence.

Si votre enfant comprend bien les notions de base comme les minutes, les heures et les journées, cette stratégie pourrait lui permettre de conceptualiser des délais plus longs, comme la remise d'un projet scolaire dans une semaine. Dans ce cas, prévoyez un calendrier sur lequel votre enfant pourrait biffer les journées jusqu'à la date de remise.

Matériel

Un chronomètre, une montre, une horloge, un sablier ou un calendrier

Pour les enfants de moins de sept ans, un sablier serait préférable

Contexte d'utilisation

 Idéal pour encadrer votre enfant et lui permettre d'entrevoir la fin d'une période donnée.

 Idéal pour mettre fin à une activité.

 Idéal pour fixer la durée de la période des devoirs.

 Idéal pour signaler le délai à respecter au moment de faire subir la conséquence.

À éviter lorsque votre enfant se montre incontrôlable.

Pour les enfants de sept ans et plus.

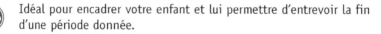

Outil 37 : Les estimations de temps

Objectif

Développer chez l'enfant la capacité à évaluer le temps nécessaire pour l'exécution d'une tâche.

Utilisation de la métaphore

Les enfants avec un TDA/H ont de la difficulté à estimer le temps, car cela demande beaucoup de concentration. De plus, ils sont dans l'action et le moment présent, ce qui limite leur capacité à évaluer le temps.

L'approche s'apparente à celle de l'outil 36. Toutefois, le présent outil permet de développer en plus la capacité d'évaluer le temps que nécessitent diverses situations.

Description de l'outil

Demandez à votre enfant d'estimer le temps nécessaire pour exécuter une tâche précise, par exemple le rangement de sa chambre. Chronomètre en main, invitez-le à accomplir la tâche en question. Par la suite, comparez le temps qu'il a mis à exécuter la tâche avec la durée prévue, puis discutez-en avec lui. Appliquez le même principe à d'autres tâches. Votre enfant finira par se souvenir du temps que certaines tâches requièrent. Il pourra par la suite utiliser cette information pour estimer avec plus de précision le temps nécessaire à l'accomplissement d'autres tâches et ainsi mieux s'organiser de manière générale.

Matériel

Un chronomètre, une horloge ou une montre

Contexte d'utilisation

 Idéal pour aider votre enfant à mieux gérer son temps quant à ses projets et à la réalisation de ses devoirs et de ses routines.

 L'enfant qui n'a pas intégré l'outil 36 est susceptible d'éprouver des difficultés avec le présent outil.

 Pour les enfants de huit ans et plus.

MÉTAPHORE *Zouzou*

(Apprentissage et concrétisation de routines)

 Mon beau Zouzou, tu éprouves parfois des difficultés à suivre les étapes de certaines routines, n'est-ce pas? J'ai trouvé deux trucs pour t'aider.

 Depuis que je vais à l'école, j'ai davantage de routines à respecter. Ce n'est pas facile! Je veux bien essayer tes trucs pour m'améliorer.

Je te propose d'utiliser un «vérificateur de routine». J'ai dessiné sur une feuille chaque étape de tes routines. J'ai ajouté une case à côté de chaque étape. Lorsque tu auras terminé une étape, tu inscriras une marque dans la case correspondante. En consultant ton vérificateur, je vais tout de suite savoir ce qu'il te reste à faire. Je pourrai t'encourager à continuer ou te féliciter. Je te suggère cet outil pour les routines plus difficiles que tu ne maîtrises pas ou pour celles que tu n'aimes pas beaucoup. Ça va te motiver à faire des efforts.

 Je pense que je comprends bien, maman. Par exemple, ma routine du matin compte cinq étapes :

> 1. je me lève ;
>
> 2. je fais mon lit ;
>
> 3. je m'étire les ailes et je les brosse ;
>
> 4. je déjeune ;
>
> 5. je me lave le bec.

En cochant mon vérificateur de routine, je verrai si j'ai oublié quelque chose.

 C'est tout à fait cela Zouzou ! Dis-moi mon garçon, tu te souviens de ta routine pour partir pour l'école ?

 1. je sors mon baluchon ;

2. j'y range mes livres et mes crayons ;

3. je referme bien mon sac ;

4. je m'envole pour l'école !

 Bravo, Zouzou ! Si tu maîtrises très bien ta routine, tu n'auras plus besoin de ton vérificateur.

Mon second truc consiste à utiliser un « aide-routine ». Cet outil te permettra de te souvenir des détails des routines que tu maîtrises déjà. Tu t'exposeras à oublier moins de choses à faire, car tu n'auras qu'à consulter la liste de ton aide-routine pour te les rappeler.

 Zouzou est bien content. Il a hâte de mettre ces nouveaux trucs en pratique. Il propose même à sa maman de l'aider à dessiner les étapes de ses routines. Et toi, aimerais-tu utiliser les trucs de Zouzou pour t'aider à exécuter tes routines ?

Objectif

Apprendre une routine.

Utilisation de la métaphore

Le vérificateur de routine rappelle à votre enfant les détails de ses nouvelles routines (matin, coucher, devoirs, taches ménagères, etc.). Les cases à cocher en facilitent le suivi. Vous êtes ainsi mieux outillé afin de récompenser votre enfant pour ses efforts ou, à l'inverse, pour prévoir une conséquence quand il se néglige.

Description de l'outil

Demandez à votre enfant de nommer avec vous les étapes de sa nouvelle routine. Proposez-lui de les dessiner sur une feuille ou dessinez-les vous-même. Si votre enfant sait déjà bien lire, notez simplement les étapes sur une feuille en vous inspirant du modèle offert sur le cédérom. Ajoutez une case à côté de chacune. Expliquez à votre enfant que, chaque fois qu'il aura terminé une étape, il cochera la case correspondante, comme le fait Zouzou. En consultant le vérificateur, vous constaterez sur-le-champ ce qu'il lui reste à accomplir.

Vous pouvez aussi inscrire vos initiales à côté de l'étape accomplie si vous n'avez pas eu à demander plus de deux fois à votre enfant de s'exécuter. Vous encadrerez et motiverez ainsi davantage votre enfant.

Des règles de base doivent être respectées pour la confection de cet outil :

> » Limiter le nombre d'étapes de la routine ;
> » Opter pour des étapes simples ;
> » L'enfant doit être en mesure de faire la routine seul.

Matériel

Les grilles offertes dans la section « Du matériel complémentaire » du cédérom

Contexte d'utilisation

 Idéal pour certaines routines dont l'enfant a de la difficulté à se souvenir.

 Aucune restriction.

 Pour les enfants de tous âges.

Outil 39 : L'aide-routine

Objectif

Exécuter une routine en bonne et due forme.

Utilisation de la métaphore

Cet outil proposé par Colombe messagère vient rappeler à votre enfant les étapes de certaines routines.

Description de l'outil

L'aide-routine est un support visuel qui aidera votre enfant à se rappeler les détails d'une routine précise. Cet outil devra être placé dans un endroit stratégique de la maison, par exemple, dans la chambre de votre enfant s'il s'agit d'une routine destinée au coucher.

ÉTAPE	RAPPEL VISUEL
1.	
2.	
3.	
4.	
5.	

Aide-routine

Routine :

La mise en pratique des outils d'Attentix

Des règles de base doivent être respectées pour la confection de cet outil:

» Limiter le nombre d'étapes de la routine;

» Opter pour des étapes simples;

» L'enfant doit être en mesure de faire la routine seul.

Matériel

La grille offerte dans la section «Du matériel complémentaire» du cédérom

Contexte d'utilisation

 Idéal pour faire suite à l'outil 38.

 À éviter quand la routine n'est pas déjà intégrée. Gardez en tête qu'il s'agit d'un aide-mémoire et que le but de l'activité ne consiste pas à remplacer un comportement par un nouveau.

 Pour les enfants de tous âges.

SECTION 6 : L'INTÉGRATION

MÉTAPHORE *Au théâtre avec Graushou*

(Mise en situation)

 Retrouve Attentix et Graushou, le vieux sage du village, qui se remémorent de bons souvenirs.

 Depuis que tu es tout jeune, Attentix, je te donne toujours de bons conseils quand tu me consultes. Je t'aide à faire toutes sortes de découvertes. Tu es un petit garçon curieux et de plus en plus attentif et concentré. D'ailleurs, je t'en félicite!

Tu te souviens de la première fois où je t'ai proposé de faire du théâtre pour surmonter une situation qui te causait des problèmes?

 Oui, oui, je me souviens. Je ne voulais pas traverser une rivière peu profonde en sautant sur des roches. Lors d'un voyage, j'avais même dû faire un très long détour pour trouver un pont, car je n'étais pas sûr d'être capable de sauter sur les roches sans tomber. Ça semblait pourtant si simple quand je regardais les autres traverser...

Avec toi, j'ai donc joué au théâtre. Dans ma tête, j'ai revécu la situation. J'ai vu et entendu ce qui se passait dans cette situation problématique. J'ai ensuite visualisé des solutions et j'ai traversé la rivière dans mon imagination. Dans ma tête, je me suis vu en train de poser prudemment les pieds sur chaque roche.

 Je te rappelais les paroles de ton ami Petit Bourdon qui disait : « Quand on veut, on peut ! » Après cette première victoire dans ton imagination, nous avons fait une mise en scène dans le jardin.

 On a disposé deux manches à balai sur le sol pour représenter les rives d'un cours d'eau. Tu as déposé des roches sur le gazon, comme dans une rivière. Ensuite, j'ai repensé à ma situation difficile que j'avais surmontée en faisant du théâtre dans mon imagination. J'hésitais encore à sauter sur les roches de ta rivière inventée.

 Tu as fait plusieurs essais en me tenant la main avant de parvenir à y aller seul. À la fin, tu pouvais t'arrêter sans crainte sur certaines roches ou encore faire le trajet très rapidement tout en demeurant prudent.

 Je me souviens. Quelques jours plus tard, nous sommes allés ensemble à la rivière, que j'ai réussi à traverser en sautant sur les roches. J'avais alors un peu peur, mais j'étais tellement confiant que j'ai traversé la rivière 12 fois de suite !

 Depuis ce jour, Attentix n'a plus jamais eu peur dans ce genre de situation. Il savait qu'il avait suffisamment exercé son habileté au théâtre avec Graushou. Il avait confiance en lui.

Outil 40 : Le théâtre

Objectif

Accroître la confiance en soi de l'enfant en lui proposant des moyens pour acquérir des attitudes ou des comportements qui l'aideront à surmonter une situation problématique.

Utilisation de la métaphore

Comme Attentix, il est probable que votre enfant vive une situation problématique dans plusieurs contextes. La stratégie de Graushou, qui consiste principalement à surmonter la situation difficile en la visualisant puis en la pratiquant dans une mise en scène et, finalement, dans un contexte réel, est applicable à plusieurs domaines. Bon nombre d'athlètes d'élite l'utilisent d'ailleurs avec succès à un niveau plus avancé.

Description de l'outil

Vous avez probablement déjà en tête une situation difficile dans laquelle se trouve parfois votre enfant, comme traverser la rue avec prudence. Discutez-en avec votre enfant. Faites-lui comprendre en quoi son comportement se prête mal à cette situation. Laissez-lui trouver les raisons qui justifient que son comportement mérite d'être corrigé. Il importe que votre enfant perçoive le problème pour qu'il participe convenablement à sa résolution. En ce sens, vous pourriez commencer à préconiser cette stratégie avec une situation que votre enfant perçoit d'emblée comme un problème, aborder un nouvel ami au parc, par exemple.

D'abord, installez-vous avec votre enfant dans un endroit calme, propice à la détente. Demandez-lui ensuite de fermer les yeux et de se concentrer. Proposez-lui de revivre la situation dans sa tête (traverser la rue avec prudence) et de commenter ce qu'il imagine et ressent. Au début, il sera peut-être nécessaire que vous le guidiez verbalement pour l'aider à penser aux gestes à faire pour bien répondre à la situation. Répétez l'exercice à quelques reprises et variez légèrement le contexte (carrefour, route principale, rue du parc, etc.). Assurez-vous toutefois de mentionner toujours les mêmes étapes afin que votre enfant puisse obtenir le résultat escompté.

Lorsque votre enfant aura suffisamment visualisé sa réussite dans son imagination – cela peut prendre plus d'une journée –, passez à l'étape de la mise en scène. Préparez un «décor» dans lequel vous jouerez l'automobiliste qui circule sur une route de ficelles et dans lequel votre enfant exercera en votre compagnie la nouvelle habileté qu'il a si bien imaginée. Il importe de ne pas sauter cette étape de mise en scène qui se déroule dans un climat détendu. Votre enfant doit acquérir le nouveau comportement en le «jouant», ce qui réduira sa peur de l'échec, parfois si paralysante. Encouragez-le et demeurez positif s'il ne réussit pas du premier coup. Certaines mauvaises habitudes s'avèrent quelquefois difficiles à perdre. Si vous sentez que votre enfant se décourage ou que vous perdiez vous-même patience, prenez une pause. Le but est de corriger un problème et non pas d'en créer un nouveau !

L'étape finale consiste à présenter le nouveau comportement dans un contexte réel. Choisissez une situation simple, avant de proposer à votre enfant un contexte plus complexe qui représente un défi important. Assurez-vous qu'il est calme et bien disposé, pour favoriser sa réussite.

Si votre enfant fait une rechute après avoir pourtant démontré qu'il était en mesure de se conformer au nouveau comportement, répétez l'étape de visualisation en sa compagnie. Il sera alors probable que votre enfant se soit suffisamment exercé pour régler la situation.

Matériel

Variable selon la mise en scène

Contexte d'utilisation

 Idéal pour développer l'estime de soi de l'enfant dans des situations telles que traverser la rue avec prudence, apprendre à rouler à bicyclette, poser une question à l'enseignant, demander à un ami de venir jouer, s'exprimer devant un petit groupe, etc.

 À éviter dans des situations trop complexes ou vagues qui seraient vouées à l'échec, comme «se faire des amis» ou «bien agir à l'école».

 À éviter pour vaincre des phobies, par exemple, la peur des foules. Dans ce cas, la technique devra être adaptée pour répondre aux besoins très précis de l'enfant. L'aide d'un spécialiste se révélerait salutaire.

 Pour les enfants de six ans et plus.

MÉTAPHORE *Le trésor d'Attentix*

(Intégration des routines)

 Attentix, as-tu déjà entendu parler du trésor de l'Attention?

 Non, qu'est-ce que c'est?

 J'ai entendu dire à travers les branches qu'il existe un trésor, quelque part dans la forêt et que celui qui le trouvera deviendra riche.

 Sais-tu où il est toi, ce trésor de l'Attention?

 Non, malheureusement. Moi, je sais seulement comment discipliner l'attention.

 Je suis intrigué. Peut-être que ce trésor pourrait m'aider à me rendre au pays de l'Attention! Arbremagique, je vais parcourir la forêt à la recherche du trésor! À bientôt!

 Bonne chance, mon ami!

Attentix marche courageusement pendant quelques heures. Dans la clairière au centre de la forêt, il rencontre le papillon aux ailes vigoureuses.

 Bonjour, Papillon. Je suis content de te revoir. Je cherche le trésor de l'Attention. Sais-tu où je pourrais le trouver?

 Je ne sais pas. Tout ce que je sais, moi, c'est l'importance de me contrôler et de garder mon objectif dans ma tête.

 Déçu que Papillon ne puisse lui indiquer le chemin du trésor de l'Attention, Attentix le remercie tout de même et il repart. Un peu plus loin, il rencontre un groupe de bourdons.

 Petit Bourdon, est-ce bien toi?

 Bonjour, Attentix! Que fais-tu dans ce coin de la forêt?

 J'aimerais beaucoup découvrir le trésor de l'Attention. Sais-tu où je peux le trouver?

 Non… Mais je peux te parler encore du pouvoir de la volonté si tu veux. Quand on veut, on peut, rappelle-toi…

 Merci, Petit Bourdon, mais je n'ai pas le temps. Je vais poursuivre ma route. Dis bonjour à tes parents de ma part!

 Attentix ne perd pas courage. Il cherche toujours à atteindre son objectif. En marchant, il se dit dans sa tête qu'il lui reste encore quelques coins moins connus de la forêt où il n'a pas encore cherché. Il décide de se reposer près d'une rivière. C'est là qu'il voit Colombe messagère et Oisillon qui se baignent.

 Bonjour, Colombe! Comme je suis heureux de te trouver sur ma route! Tu vas sûrement pouvoir m'aider.

 Attentix! Ça me fera plaisir de t'aider. Tu as été si gentil pour mon enfant et moi!

 Je cherche le trésor de l'Attention. Peux-tu me dire où je peux le trouver?

Malheureusement, Attentix, je l'ignore. Le seul secret que je connaisse, c'est celui qui permet de toujours être actif dans sa tête pour demeurer attentif.

 Attentix commence à perdre patience. Comment va-t-il pouvoir mettre la main sur ce trésor si personne ne peut l'aider ? Il laisse Colombe messagère et son petit continuer leur baignade dans la rivière et il s'enfonce encore plus loin dans la forêt. Attentix marche depuis plusieurs heures déjà. Soudain, il prend conscience qu'il ne sait pas du tout où il se trouve !

 Je suis perdu ! Oh ! comme je suis seul dans ce coin de forêt que je ne connais pas ! La nuit va bientôt tomber… J'ai peur. Et je n'ai pas la moindre idée de l'endroit où se trouve le trésor de l'Attention.

 Attentix se met à pleurer. Il est désespéré. Puis, entre deux sanglots, il se met à penser à tous ses amis : Arbremagique, Papillon, Petit Bourdon, Colombe messagère et son petit. C'est alors qu'il comprend…

 Chacun a un trésor bien à lui. J'ai cherché le trésor partout dans la forêt et je ne l'ai pas trouvé. C'est parce que le trésor n'est pas caché dans la forêt, il est en chacun de nous. Tout le monde possède son trésor. En regardant à l'intérieur de moi, dans mon cœur et dans ma tête, j'ai découvert mon trésor : le pouvoir de l'Attention.

 La nuit est tombée, mais Attentix n'a plus peur. Il a compris qu'il doit d'abord se calmer. Puis il lui faut être actif dans sa tête pour ensuite passer à l'action. Attentix est riche car il vient de trouver en lui le pouvoir de l'Attention. Ce trésor a une grande valeur.

 Je me sens riche. Je sais que je peux maintenant tout faire avec attention. Grâce à mon trésor et à tout ce que mes amis m'ont appris, je suis prêt pour visiter le pays de l'Attention !

 Attentix décide de dormir un peu avant de reprendre sa route. Le lendemain matin, au lever du soleil, il retrouve son chemin. Lorsqu'Attentix arrive près d'Arbremagique, le vieil arbre voit une belle lueur au fond des yeux du jeune garçon. C'est le trésor de l'Attention qui brille.

Avant même qu'Attentix lui raconte son aventure, Arbremagique sait que son ami a découvert le trésor qui lui permettra de visiter le pays de l'Attention. Attentix a bien raison d'être fier de lui.

Outil 41 : Routine quotidienne

Objectif

Par l'intégration de routines, aider l'enfant à développer des automatismes qui réduiront les risques d'oublis ou d'erreurs.

Utilisation de la métaphore

Dans sa quête du trésor de l'Attention, Attentix a pris conscience que chaque personne possède un trésor en elle. Ce qu'il cherchait était à l'intérieur de lui. Ses aventures lui ont permis de découvrir son trésor : le pouvoir de l'Attention. Ce trésor repose sur une méthode en trois étapes :

1. se calmer d'abord ;

2. être actif dans sa tête ;

3. passer à l'action.

Proposez à votre enfant d'appliquer la méthode d'Attentix pour améliorer une situation qu'il vit chaque jour.

Description de l'outil

En compagnie de votre enfant, posez-vous les questions suivantes :

» Quelle situation répétitive pourrait être améliorée ?

» Quelle serait la meilleure stratégie pour améliorer la situation ?

» Quelles sont les forces de l'enfant qui peuvent l'aider dans cette situation ?

Appliquez la méthode d'Attentix pour établir les étapes de la routine de votre enfant. Prenons l'exemple du tableau de la page suivante pour illustrer la routine des devoirs.

Une fois les étapes de la nouvelle routine bien établies, vous pouvez faire appel aux outils 38 et 39 pour encadrer votre enfant dans sa démarche si cela est nécessaire. À cette étape d'intégration, l'enfant devrait réussir par lui-même, sans support externe.

Méthode d'Attentix	Exemple de la routine des devoirs
Se calmer d'abord	Se détendre pour se préparer à se concentrer sur sa tâche.
Être actif dans sa tête	Dresser un plan de travail. Que faire en premier : ce qui est le plus urgent ou le plus difficile ? Par quoi devrait-on terminer ?
Passer à l'action	Effectuer ses travaux selon l'ordre établi.

Enfin, proposez à votre enfant d'utiliser une grille d'autoévaluation qu'il comparera avec votre évaluation pour vérifier s'il exécute bien sa routine. Il s'agit ici simplement de demander à l'enfant de noter s'il utilise bien sa routine ou s'il l'oublie. Dans le dernier cas, revenez avec les outils 38 et 39 pour l'aider.

Matériel

Grille d'autoévaluation offerte sur le cédérom

Contexte d'utilisation

 Idéal pour établir de nouvelles routines et aider votre enfant à les intégrer.

 Idéal pour aider votre enfant à prendre conscience qu'il peut maintenant s'autocontrôler sans support externe.

 Éviter de proposer plus de trois nouvelles routines à la fois.

 Pour les enfants de six ans et plus.

La mise en pratique des outils d'Attentix

(Utilisation des outils par l'enfant)

Retrouve Attentix qui rencontre le vieux sage du village pour profiter de son enseignement.

Graushou, j'ai développé plusieurs habiletés nouvelles dernièrement. Pour m'aider à continuer de cette façon, as-tu une idée à me suggérer ?

Regardons de plus près…

Il réfléchit

Je peux te proposer de te confectionner un collier de perles magiques.

Je me suis procuré des perles magiques dans l'île des Illusions. Les huîtres qui les abritent sont invisibles pour les gens impulsifs ou inattentifs. La seule façon de les voir, c'est d'être calme et bien concentré sur sa tâche. Quand l'huître est bien visible, elle s'ouvre et libère son fabuleux trésor : une perle ronde comme une bille. Ces perles sont précieuses, car elles facilitent la concentration. J'ai travaillé très fort pour amasser ma collection.

Et tu veux partager tes perles avec moi ?

Je te propose en effet de t'offrir des perles magiques pour te confectionner un beau collier. Mais tu devras mériter chaque perle en faisant des efforts. Pour amasser le plus de jolies billes possible, il te suffira de mettre en pratique tous les trucs que tu possèdes pour rester calme et bien concentré. Chaque fois que tu le feras, je te donnerai une perle que tu ajouteras à ton collier.

Je vais faire des efforts, c'est promis !

Pour t'encourager à poursuivre ton bon travail, j'ai aussi le goût de partager avec toi une vieille tradition : le mémento.

Le mémento est un moment de la journée où les grands sages du village se souviennent du bel héritage que leurs ancêtres ont laissé aux villageois d'Attentia. Ils profitent aussi de cette période de réflexion pour prendre conscience de ce qu'ils ont fait de bon dans la journée.

Pour que tu puisses aussi participer à cette belle tradition, je te suggère d'employer ce cahier. Chaque jour, tu pourras y noter les actions dont tu es fier et chaque truc que tu as appliqué pour mieux te concentrer. Tu pourras aussi y inscrire les bons gestes que tu comptes faire le lendemain ou les stratégies que tu voudrais pratiquer.

 Le mémento me permettra de me rendre compte que je connais bien des trucs pour m'améliorer et que je sais comment les mettre en pratique. Moi, je pense que c'est une bien belle façon de continuer à faire des progrès! Merci Graushou!

 Attentix repart en promettant bien à Graushou de revenir le lendemain pour partager avec lui les notes qu'il aura écrites dans son mémento. Le vieux sage profitera certainement de cette visite pour remettre une première perle magique à son élève.

Outil 42 : Le mémento du soir

Objectif

Apprendre à l'enfant à vérifier s'il fait bon usage des outils dont il dispose maintenant.

Utilisation de la métaphore

À l'origine, le mot latin *memento* signifiait « souviens-toi » et désignait une prière de souvenir appartenant à la messe – mémento des vivants, des morts. De nos jours, le terme fait référence à un agenda dans lequel on note les choses à faire, un résumé ou un aide-mémoire. C'est ce sens qui est exploité avec l'enfant.

Description de l'outil

Proposez à votre enfant de créer son propre mémento. Il pourrait s'agir, par exemple, d'un cahier sur lequel votre enfant dessine ou colle les personnages du monde d'Imaginaria.

Au cours de la soirée, votre enfant dresse un bilan de sa journée. Il note dans son mémento les occasions où il a fait appel aux outils d'Attentix et des autres personnages du monde d'Imaginaria. Il peut aussi y planifier ses tâches du lendemain afin de bien utiliser les stratégies qu'il a apprises.

À l'occasion, jetez un œil sur le contenu du mémento de votre enfant et discutez-en avec lui. Vous pourriez, par exemple, profiter de l'occasion pour expliquer de nouveau une stratégie ou encore pour féliciter votre enfant de tous ses efforts.

Le mémento est un outil de travail et de valorisation pour votre enfant. Soyez tolérant lorsque vous le consulterez. Attardez-vous au contenu plutôt qu'à la forme. L'occasion n'est pas nécessairement bien choisie pour relever les erreurs d'orthographe ou la calligraphie peu soignée.

Matériel

Un cahier ou un calepin qui servira de mémento

Contexte d'utilisation

 Idéal après avoir abordé l'ensemble des outils de cet ouvrage pour en maintenir les bienfaits.

 Idéal en cours de programme pour renforcer l'utilisation des outils déjà présentés.

 À éviter au début du programme, car trop peu d'outils sont utilisés par l'enfant.

 À éviter lorsque votre enfant connaît plusieurs échecs successifs, puisque le mémento ne ferait que soulever ses difficultés et diminuer son estime de soi.

 Pour les enfants de huit ans et plus.

Outil 43 : Le collier de perles magiques

Objectif

Encourager l'utilisation des outils d'Attentix.

Utilisation de la métaphore

Les perles constituent une forme de récompense. Elles confirment les progrès de votre enfant quant à sa capacité à s'organiser et à utiliser ses outils. Porter son collier de perles magiques l'aide à rester vigilant pour repérer les occasions où l'utilisation des trucs du monde d'Imaginaria s'avère utile.

Description de l'outil

À la fin de la semaine, votre enfant vous explique comment il a mis en pratique les outils d'Attentix et de ses amis au cours des cinq derniers jours. Au besoin, discutez de la question avec lui, puis ajoutez une « perle » à son collier. La perle consiste en un objet de votre choix tel qu'une bille de bois trouée, un bouton ou une perle décorative. Vous pouvez aussi établir un code de couleurs en fonction des trucs utilisés. Par exemple, les billes vertes pour les outils portant sur l'imagination, les billes bleues pour les outils liés à l'autocontrôle, etc.

Pour terminer l'assemblage du collier, après un certain nombre de semaines prédéfini par exemple, vous pourriez remettre une perle particulière à votre enfant. Il pourrait s'agir d'un petit pendentif ou d'une bille de couleur différente par exemple.

Matériel

Cordelette et petits objets pouvant être enfilés

Contexte d'utilisation

Idéal lorsque vous avez présenté la totalité des outils à votre enfant ; à utiliser uniquement lorsque les progrès de votre enfant sont satisfaisants et que vous souhaitez souligner ses succès d'une manière plus officielle.

Aucune restriction.

Pour les enfants de tous âges.

CONCLUSION

Vous le savez maintenant, les outils du présent ouvrage ont pour objectif de stimuler l'imagination de votre enfant afin qu'il soit plus attentif et moins impulsif. Nous espérons qu'ils se sont révélés utiles en ce sens.

Gardez toujours à l'esprit que les routines, les stratégies et les habiletés visant une meilleure organisation ne constituent pas une mince tâche pour l'enfant, encore moins pour le jeune aux prises avec un trouble déficitaire de l'attention/hyperactivité (TDA/H). En outre, elles requièrent du temps et un suivi rigoureux. Le développement de compétences durables représente plus qu'une simple correction à court terme d'une situation difficile.

Comme parent, vous êtes un modèle pour votre enfant. Grâce aux activités du présent ouvrage, vous avez joué auprès de lui un rôle tout aussi déterminant : vous l'avez guidé vers le succès et vous lui avez permis de vivre de petites victoires. Nous ne pouvons que vous féliciter d'avoir investi temps et efforts dans l'application des outils de ce livre ! Attentix fait dorénavant partie de votre vie familiale. Sachez profiter encore longtemps de sa présence. N'hésitez pas à faire souvent appel à lui pour dénouer des situations problématiques en compagnie de votre enfant.

ATTENTIX... À L'ÉCOLE !

Le présent manuel est complémentaire au *Programme Attentix*, outil didactique utilisé depuis quelques années en milieu scolaire. Les deux ouvrages reposent sur les mêmes personnages, bases théoriques et principes de construction de routines. Parlez-en avec l'enseignant de votre enfant. La concertation parent/école pourrait optimiser les progrès de votre enfant.

Attentix a aussi son propre site Internet. Faites parvenir vos commentaires, critiques et suggestions à l'adresse suivante : **www.attentix.ca**. Votre point de vue peut nous aider à améliorer le produit ou encore à proposer de nouveaux outils, des personnages, des métaphores supplémentaires, des ateliers et des conférences.

Le présent ouvrage ne marque donc pas la fin d'un processus, mais, nous l'espérons, la continuité d'une interaction dynamique entre Attentix, les enfants, les parents ainsi que les intervenants de tous les milieux reliés de près ou de loin à l'éducation.

À PROPOS DU CÉDÉROM

Le cédérom peut être utilisé dans un environnement Mac ou dans un environnement PC. Voici les conditions essentielles pour en profiter entièrement.

Dans l'environnement Mac, vous devez avoir:

» un système 9.0 ou mieux avec l'extension « CarbonLib 1.6+ » ;

» un minimum de 64 mégaoctets de mémoire vive (RAM) ;

» un lecteur de cédéroms 4X (8X recommandé) ;

» un moniteur pouvant afficher une résolution de 800 x 600 pixels avec milliers de couleurs ;

» une carte son et des haut-parleurs ou des écouteurs ;

» un fureteur Internet Explorer 5.0 ou mieux.

Si votre poste de travail n'est pas muni de l'extension CarbonLib 1.6+, vous pouvez l'obtenir gratuitement sur le site d'Apple :

http://docs.info.apple.com/article.html ?artnum=120047

Dans l'environnement Windows, vous devez avoir:

» un processeur Intel® Pentium® ou l'équivalent (233 mégahertz ou mieux) ;

» un système d'opération Windows 98® ou mieux ;

» un minimum de 64 mégaoctets de mémoire vive (RAM) ;

» un lecteur de cédéroms ;

» un moniteur pouvant afficher une résolution de 800 x 600 pixels avec milliers de couleurs ;

» une carte son et des haut-parleurs ou des écouteurs ;

» un fureteur Internet Explorer 5.0 ou mieux.

Mise en garde

» La qualité d'impression des divers documents peut varier si vous utilisez d'autres plateformes. La qualité d'impression dépend aussi des capacités de votre imprimante.

» La qualité sonore peut dépendre des capacités de votre carte son et de vos haut-parleurs ou écouteurs.

» Il est préférable de *ne pas* ouvrir votre fureteur avant de cliquer sur les hyperliens de ce cédérom.